GRAMMAIRE VIVANTE DU FRANÇAIS

français
langue étrangère

Monique Callamand
Maître de conférences à l'Université de Paris III

GRAMMAIRE VIVANTE DU FRANÇAIS

français
langue étrangère

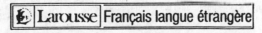 Larousse Français langue étrangère

Diffusion CLE INTERNATIONAL

© **Librairie Larousse, 1987.**
© **CLE INTERNATIONAL, nouvelle édition, 1989.**

ISBN 978-2-19-039307-0

Avant-propos

Cette grammaire du français s'adresse à des apprenants d'un niveau moyen ou confirmé qui pourront l'utiliser en fonction de leur connaissance de la langue. Ils y trouveront la réponse à une question précise : comment distinguer l'emploi de l'imparfait et du passé composé ? Quelle forme de pronom relatif utiliser ? Pourquoi *depuis + durée* est-il associé au présent dans certains cas et au passé composé dans d'autres ? Qu'est-ce qui distingue *parce que* de *puisque* ? Etc. Ils pourront s'en servir également comme un outil leur permettant, s'ils lisent chapitre par chapitre :

• de comprendre les mécanismes qui expliquent les formes utilisées dans l'expression (l'emploi concurrent du subjonctif et de l'indicatif, les cas d'inversion du sujet et du verbe, l'emploi de la construction infinitive, les cas particuliers d'utilisation ou de suppression de l'article, etc.),

• d'enrichir ou affiner leur compétence linguistique (les différents moyens d'exprimer la cause, la condition, le temps, etc., les substituts du pronom relatif *qui*, etc.).

1. Le matériau grammatical est présenté comme support de l'expression

• Par-delà la description des formes, l'ouvrage s'attache à dégager la valeur de certaines composantes grammaticales dans la communication, montrant ainsi que les choix grammaticaux peuvent être chargés de signification.

C'est le cas, par exemple,
– de certains emplois de l'article qui s'écartent de la règle générale mais se justifient par le contexte :

> *J'ajoute de l'eau ?*
> *Non, pas* **de** *l'eau.*
> (sous-entendu : il faut ajouter autre chose)

– de l'emploi des temps qui permettent non seulement de situer les actions dans les périodes présente, passée ou future, mais aussi **d'exprimer le mode de réalisation des actions :** ainsi s'opère la distinction entre *situation* et *événement prenant place dans cette situation* grâce à l'opposition imparfait/passé composé :

> *Nous mangions sur la terrasse quand il s'est mis à pleuvoir.*
>
> situation   événement

> *Nous avons mangé à l'intérieur parce qu'il pleuvait.*
>
> événement   situation

Les temps servent enfin **à mettre en relation des actions :**

> *Je suis étonnée qu'il n'ait rien dit.*
>
> action antérieure
> à la précédente

ou **à traduire une intention particulière :** il s'agit des possibilités de jeu entre le passé simple et le passé composé dans la narration, le présent et le futur, le subjonctif et l'indicatif notamment.

3

• La grammaire offre également une grande variété de *moyens linguistiques* établissant des relations notionnelles entre deux informations : relation de temps, de but, de cause/conséquence, de condition/hypothèse, etc. Les deux exemples qui suivent illustrent deux moyens, parmi beaucoup d'autres, pour exprimer la restriction par rapport à une information donnée :

> *Il faut prévoir cette dépense* **quitte à** *refaire le budget.*

> *Le projet est intéressant.* **Malheureusement**, *nous n'avons pas les moyens de le réaliser !*

A ces éléments de relation, il faut ajouter un large éventail de *marques* qui permettent une expression précise et variée, entre autres :

– marques de la quantité et de la comparaison,

> *Je gagne* **plus de** *9 000 francs par mois.*
> *Mon salaire* **est supérieur à** *9 000 francs par mois.*

– marques de la détermination temporelle,

> *Il a été blessé* **pendant/durant** *le match.*
> *Il a été blessé* **au cours du** *match.*

– marques de la durée.

> *Je l'ai vu* **il y a** *trois ou quatre jours.*
> *Je ne l'ai pas vu* **depuis** *trois ou quatre jours.*

Les moyens grammaticaux font partie du *contenu de l'expression* au même titre que les éléments lexicaux. Cette grammaire est donc aussi un *outil linguistique* qui fournit à l'apprenant l'occasion d'enrichir considérablement sa compétence communicative.

• Enfin, la grammaire intervient dans l'expression par l'utilisation de *procédés* qui permettent la présentation et la mise en valeur des informations, leur organisation logique dans le texte, assurant ainsi la cohérence de la pensée. La connaissance de ces procédés permet une amélioration de *la forme de l'expression.* Parmi les manipulations les plus fréquentes, on trouve :

– la transformation passive,
– l'emploi de la tournure présentative avec *c'est...,*
– la reprise par la forme nominale ou divers pronoms,
– le rejet et l'apposition,
– l'inversion du sujet et du verbe,
– les substituts de la construction relative avec *qui.*

2. *Conçue pour des apprenants de français langue étrangère, cette grammaire adopte une démarche descriptive/explicative afin d'élucider les difficultés inhérentes au français.*

La préoccupation pédagogique se reflète :

• dans le traitement, qui se veut aussi complet que possible, des points grammaticaux reconnus comme générateurs d'erreurs et dans le recours à la démonstration proche de celle que le professeur peut donner dans la classe de langue ;

• dans la volonté de mettre en relation certains faits grammaticaux pour dégager :

– des contraintes (cas de la forme des pronoms personnels compléments et relatifs compléments qui ne s'explique que par la construction verbale) ;

– des possibilités de choix (emploi du participe présent à la place de la construction relative) ;

– des fonctions dans l'élaboration du discours (rôle des pronoms dans l'organisation des informations au sein de la phrase et du texte) ;

• dans la présentation d'*outils* tels que :

– les tableaux du *Groupe du nom et* du *Groupe du verbe* qui indiquent les éléments antéposés et les éléments postposés afin de donner une vue d'ensemble sur les possibilités de combinaison du nom et du verbe avec les autres éléments grammaticaux ;

– le tableau des *Correspondances Verbes-Pronoms* couplé au *Dictionnaire des verbes* fournissant les formes adéquates des pronoms personnels compléments et relatifs compléments en fonction de la construction verbale ;

– les tableaux indiquant les formes et la place des pronoms personnels compléments,

– le tableau récapitulatif des pronoms relatifs.

Ces différents outils, en ordonnant les éléments et en justifiant les formes, apportent des solutions par la réflexion et la connaissance des mécanismes propres au système linguistique du français.

3. L'approche se veut pertinente pour la formation à l'apprentissage d'une langue.

Il n'est pas rare d'entendre dire, à juste titre, que la connaissance de la grammaire ne garantit pas la maîtrise de l'expression. Cependant, contrairement au natif qui, enfant, acquiert sa langue par imprégnation, à travers le jeu de tentatives/corrections, puis développe sa compétence dans un bain linguistique permanent et dans le cadre scolaire, l'apprenant étranger, lui, a déjà, même inconsciemment, un savoir structuré de la langue maternelle. Il développe, face à la langue nouvelle à apprendre, une attitude de « linguiste » en cherchant à comprendre le fonctionnement du système, et cela très rapidement. Un ouvrage grammatical est donc un instrument dont la fonction est non pas d'enseigner la langue mais de fournir des clés pour apprendre.

Par rapport à la phase d'exploitation grammaticale qui constitue un moment de la classe de langue au cours duquel on présente et fait mémoriser les éléments grammaticaux nouveaux, le livre de grammaire, lui, regroupe, structure, explique : ainsi la réflexion a posteriori permettra à l'apprenant de mieux analyser, mieux mémoriser, mieux interpréter les emplois des formes déjà apprises, ou qui apparaîtront dans les documents oraux et écrits auxquels il sera exposé.

La grammaire est donc un support particulier dans l'ensemble méthodologique proposé aux élèves : les formes ne sont plus prioritaires, ce sont les structures dans lesquelles elles fonctionnent qui le deviennent. Cette approche conceptuelle pose l'inévitable problème de la terminologie. Nécessaire pour nommer les faits grammaticaux, elle apparaît dans cette grammaire sous une forme simplifiée, souvent paraphrasée (construction complétive = verbe + que) et toujours illustrée par des exemples.

SOMMAIRE

La détermination temporelle

le groupe du nom

LE GROUPE DU NOM

Ce tableau présente les éléments qui peuvent précéder le nom (éléments antéposés) et ceux qui peuvent le suivre (éléments postposés) ainsi que les éléments rattachés au nom comme la négation, la quantité et la comparaison. Les références renvoient à la présentation détaillée de chacun de ces éléments.

→ le précéder

ÉLÉMENTS ANTÉPOSÉS

■ ARTICLES (pp. 12 à 19)

le, la, l', les
au, à la, à l', aux
du, de la, de l', des
un, une, des

■ ADJECTIFS DÉMONSTRATIFS (p. 20)

ce, cet, cette, ces

■ ADJECTIFS POSSESSIFS (pp. 21 et 22)

mon, ma, mes
ton, ta, tes
son, sa, ses
notre, nos
votre, vos
leur, leurs

■ ADJECTIFS INTERROGATIFS (p. 23)

quel(s), quelle(s)
et composés

■ ADJECTIFS INDÉFINIS (pp. 24 à 26)

ex. **certain(e)(s), autre(s),**
divers(e)(s), etc.

■ ADJECTIFS QUALIFICATIFS (pp. 27 à 29)

ex. **beau(x)/bel, belle(s),**
joli(e)(s),
bon(s), bonne(s),
mauvais(e)(s), etc.

LE

↗ le suivre

ÉLÉMENTS POSTPOSÉS

- **ADJECTIFS QUALIFICATIFS** (pp. 28 et 29)

  ex. **rouge(s), pratique(s),
  japonais(e)(s),** etc.

- **CONSTRUCTION RELATIVE** (p. 30 et pp. 47 à 50)

  - pronom relatif sujet : **qui**

  - pronoms relatifs compléments (1) : **que, dont
    auquel, auxquels, à laquelle, auxquelles, duquel, des-
    quels, de laquelle, desquelles**
    préposition autre que **à** ou **de** + **lequel, lesquels, la-
    quelle, lesquelles**

  - pronoms relatifs compléments de lieu ou de temps : **où**

  **(1) Cf. Dictionnaire des verbes (p. 63) et tableau des correspondances
  verbes – pronoms (pp. 51 et 52).**

- **GROUPE PRÉPOSITIONNEL OU MODIFICATEUR** (P. 31)

  - **nom 1 + préposition + nom 2**

  ex. *une usine de voitures
  un livre sans intérêt*

  - **nom + à + infinitif**

  ex. *une machine à laver*

NOM

ÉLÉMENTS RATTACHÉS

Négation	Quantité	Comparaison
(pp. 97 et 98)	(pp. 102 à 106)	(p. 112)

LES ARTICLES

On peut dire, en règle générale, qu'un article accompagne le nom en français. *Le programme est intéressant.*
Je vais à l'université.
À midi, je mange un sandwich.

Les cas où l'article n'est pas utilisé seront précisés dans ce chapitre (p. 14 à 19).

LES FORMES DE L'ARTICLE

	singulier		pluriel	
	masc.	fém.	masc.	fém.
devant un mot commençant par une consonne	le	la	les[2]	
devant un mot commençant par une voyelle ou un « h » muet	l'[1]			
s'il y a rencontre de à + le, la, l', les	au[3] / à l'	à la	aux[2,3]	
s'il y a rencontre de de + le, la, l', les	du[3] / de l'	de la	des[2,3]	
	un	une		

(1) La forme *l'* apparaît devant un mot commençant par une voyelle : *l'usine, l'arbre,* ou devant un mot commençant par un « h » dit « muet » : *l'hôtel, l'heure.* On dit qu'il y a élision de la voyelle de l'article : ce phénomène empêche la distinction masculin/féminin par l'article.

L'élision se fait dans les mêmes conditions pour d'autres éléments grammaticaux : *de, que, je, me, te, se, ne* et le pronom *ce* devant le verbe *être.*

L'élision ne se fait pas devant un mot commençant par un « h » dit « aspiré » : *la* hausse, *le* hasard. Parmi les plus fréquents commençant par un « h » dit « aspiré », il y a :

la haine, haïr, le hall, les halles, le hameau, la hanche, le handicap, hanter, harasser, harceler, le hareng, le haricot, le hasard, la hâte, la hausse, le haut, la hauteur, le héros, le hêtre, heurter, la hiérarchie, le homard, la honte, honteux, hors de, le hors-d'œuvre, la housse, le hublot, huer, le huitième, hurler, le hurlement.

(2) Prononciation : quand les articles du pluriel *les, aux, des* sont suivis d'un mot commençant par une voyelle ou un « h » muet, on fait la liaison :
les usines, les arbres,
⌣ z ⌣ z
les hôtels, les heures.
⌣ z ⌣ z

Si le mot commence par un « h » aspiré, la liaison ne se fait pas : les / hausses, les / hasards.

(3) Les formes *au, aux* et *du, des* sont dues à la contraction de
à + le → *au,*
à + les → *aux,*
de + le → *du,*
de + les → *des.*

LES VALEURS DE L'ARTICLE

1. Le, la, l', les, *qui sont appelés* articles définis, *peuvent avoir des valeurs opposées :*

a. Une valeur généralisante.	*Les pommes sont délicieuses ici.*
b. Une valeur particularisante, singularisante.	*Mange la pomme.* *(= Mange cette pomme : celle qui se trouve ici devant nous.)* *C'est Julie qui gardera les enfants.* *(= C'est Julie qui gardera mes/nos enfants.)*

On remarque, dans ce cas, l'étroite relation entre l'article, le démonstratif (ce, cet, cette, ces) et le possessif (mon, ma, mes, etc.) qui sont présentés respectivement pages 20 et 21-22.

2. Du, de la, de l', des *sont formés de la préposition* de *et de l'article défini. Cette préposition* de *peut avoir des valeurs différentes :*

a. De **peut faire partie de la construction verbale.**	*Elle s'occupera des enfants.* *(s'occuper de quelqu'un)* *J'ai besoin de la voiture.* *(avoir besoin de quelque chose)*

Remarque : Dans ce cas, les articles du, de la, de l', des se maintiennent après la négation :

Elle ne s'occupe pas des enfants.
Je n'ai pas besoin de la voiture.

b. De **peut faire partie du groupe du nom dans la construction** nom 1 + de + nom 2.	*Il nous faut l'avis du médecin.* *La hausse des salaires ne dépassera pas 5 p. 100.*

Remarque : Dans cette construction, on peut trouver de sans l'article.

Nous avons parlé des problèmes de sécurité.

Se reporter aux explications concernant ce cas page 17.

c. De **peut avoir la valeur d'un quantitatif indéfini :** il peut se traduire par « une partie », « une certaine quantité », il apparaît dans les formes du, de la, de l', des.	*Prends de la sauce.* *On a économisé de l'argent.* *Tu as acheté du pain ?*

On appelle ces articles *articles partitifs. Des* n'est utilisé avec la valeur de partitif que devant un *nom au pluriel* ne pouvant apparaître au singulier dans le contexte :

J'ai mis des haricots verts autour de la viande.
(J'ai mis un haricot vert autour de la viande [? ?].)

la négation des partitifs

Remarque : Les partitifs **du, de la, de l', des** se réduisent à **de** ou **d'** après la négation :

*Ne prends **pas de** sauce.*
*On n'a **pas** économisé d'argent.*
*Tu n'as **pas** acheté de pain ?*
*Il n'y a **pas de** haricots verts.*

Si, dans certains cas, les formes **du, de la, de l', des** apparaissent après la négation, c'est avec une valeur particulière qui est expliquée p. 15 et 16.

3. Un, une des ***sont normalement appelés*** articles indéfinis. ***On peut noter la différence entre article défini et article indéfini dans les deux exemples suivants :***

*J'ai fait **les** exercices.*
(= ceux que vous m'avez demandé de faire)

*J'ai fait **des** exercices.*
(= un certain nombre d'exercices que personne d'autre que moi ne connaît)

Comme le montre ce dernier exemple, pour *un, une, des,* la notion de quantitatif s'ajoute à la notion d'indéfini :

*J'ai fait **un** exercice.*
(c'est-à-dire 1 et non 2, 3, 4,...)

*J'ai fait **des** exercices.*
(= J'ai fait quelques/plusieurs exercices.)

Pour résumer, *des* a trois valeurs différentes :

– d'article défini
de la

*Je suis satisfait **des** résultats.*
*Le bureau **des** réclamations est fermé.*

– d'article partitif

*Il y a **des** cerises pour le dessert.*

– d'article indéfini
une enfant

*Elle garde **des** enfants pendant le week-end.*

Rappel : Cette différence de nature explique la transformation ou non de *des* en *de* après la négation (cf. p. 15).

CAS PARTICULIERS D'UTILISATION OU DE SUPPRESSION DE L'ARTICLE

1. *L'article est supprimé devant un nom de métier dans la construction* nom/pronom + être + nom de métier :

Mon père est professeur.
Il est professeur.

⚠ Mais l'article est utilisé si le nom de métier est déterminé, c'est-à-dire suivi d'un adjectif, d'une relative, d'un groupe prépositionnel :

> *Pierre est **un** architecte génial.*
> *Pierre est **un** architecte qui a de l'avenir.*
> *Pierre est **l'**architecte du groupe immobilier X.*

Dans ce cas, on ne peut pas avoir *il(s) ou elle(s)* + *être* + *article :* *il(s)* et *elle(s)* sont remplacés par *c'* ou *ce :*

> *Pierre, **c'est un** architecte génial.*
> *(et non : il est un architecte génial)*
>
> ***C'est une** journaliste qui a beaucoup de talent.*
> *(et non : elle est une journaliste qui a beaucoup de talent)*
>
> ***Ce sont** des ouvriers qualifiés.*
> *(et non : ils sont des ouvriers qualifiés)*

un/une/des   du/de la/de l'/des

2. L'article <u>indéfini</u> ou partitif est transformé après la négation :

– **Cas de l'article indéfini :** un, une, des → de.

> *Vous avez **une** voiture ?*
> *– Non, nous n'avons **pas de** voiture ici.*

– **Cas de l'article partitif :** du, de la, de l', des → de.

> *Tu bois **du** vin ?*
> *– Non, **jamais de** vin.*

⚠ Mais l'article est maintenu après la négation :   avec être

when

a. Lorsqu'il y a utilisation de la <u>tournure</u> turn of phrase **présentative « c'est... », « ce sont... »** où c' et ce **sont des pronoms démonstratifs.**	*C'est **un** dictionnaire bilingue.* *Ce n'est pas **un** dictionnaire bilingue.* *C'est **de la** confiture?* *Ce n'est pas **de la** confiture?* *Ce sont **des** raisons valables.* *Ce ne **sont** pas **des** raisons valables.*
b. Lorsque de, composant les articles du, de la, de l', des, fait partie de la construction verbale.	*Je ne suis **pas satisfait des** résultats.* *(**être satisfait de** quelque chose)* *On ne discute **jamais de l'**avenir.* *(**discuter de** quelque chose)* Remarque : Avec un mot pris au sens global, abstrait, l'article peut disparaître aussi bien à la forme négative qu'à la forme affirmative : *on parle d'avenir, on ne parle pas d'avenir*
c. Lorsque un, une ont la valeur d'un quantitatif.	*Je ne parle **pas un** mot de russe.* *(= **pas un seul** mot : ici **un** = 1)* *Tu n'as **pas une** idée ?* *(= **aucune** idée)*

⚠️ Il y a, par ailleurs, des cas où l'article apparaît après la négation non pour des raisons grammaticales ou sémantiques mais pour des raisons contextuelles, c'est-à-dire dans des échanges verbaux :

a. Lorsqu'il y a désignation, référence concrète.	*Tu ne prends **pas de la** salade ?* *(c'est-à-dire : de **cette** salade qui est sur la table)* Remarque : Une relation étroite s'établit entre cet emploi du partitif et le démonstratif.
b. Lorsqu'il y a opposition.	*Tu prends **un** whisky ?* _ *Non, **pas un** whisky. Plutôt **une** bière.* *J'ajoute **de l'**eau ?* _ *Pas **de l'**eau. **Du** lait.*

deleted *after*

3. L'article est ~~supprimé~~ après un quantitatif construit avec la préposition de :

> *Nous avons **assez d'**argent pour acheter un petit appartement.*
> *Il y a **beaucoup de** livres sur le sujet.*

⚠️ Mais l'article est maintenu si le nom qui suit le quantitatif est déterminé (par une relative, par exemple) ; le cas est assez rare.

> ***Beaucoup des livres** qui sont ici ont été offerts par un collectionneur.*

⚠️ L'article apparaît également après les quantitatifs qui ont une valeur de partitif ; ainsi emploie-t-on ***du, de la, de l', des*** après :

_ la plupart, la majorité, une partie, le pourcentage

> ***La plupart des** téléspectateurs ont été déçus par l'émission.*

_ 10 p. 100, 20 p. 100, 45 p. 100, etc., 100 p. 100.

> *On estime que **10 p. 100 de la** population est sous-alimentée.*

_ le quart, le tiers, la moitié, les trois quarts, les deux tiers

> *Il a mangé **la moitié du** gâteau.*

_ la totalité, l'ensemble

> *Nous n'avons pas encore reçu **la totalité de l'**argent.*

deleted

4. L'article est ~~supprimé~~ devant l'adjectif placé avant le nom : des → de :

> *Il a **des** ennuis graves → Il a **de** graves ennuis.*

⚠️ Mais, devant les adjectifs ***petit(e)(s), grand(e)(s), bon(ne)(s)***, et, plus rarement, devant ***gros(ses)*** et ***mauvais(es)***, la forme ***des*** apparaît souvent dans le français parlé courant.

*Elle a souvent **des petits** ennuis de santé.*
*Pour moi, New York, c'est **des grands** immeubles.*
*Je t'ai préparé **des bonnes** choses.*

5. Dans le groupe prépositionnel modificateur du nom, l'article est absent ou présent selon les cas :

a. Cas de nom 1 + de
+ nom 2 :

_ nom 1 + de + nom 2 :

*Une usine **de** voitures.*
*Un livre **de** grammaire.*
*Les problèmes **de** société.*

L'absence d'article ou de déterminant devant le nom 2 indique un type particulier de relation entre nom 1 et nom 2 : nom 2 indique la caractéristique, la spécificité de nom 1 :

usine de voitures = type d'usine
livre de grammaire = type de livre
problèmes de sécurité = type de problèmes

_ nom 1 + du, de la, de l', des + nom 2 :

*Le bureau **du** directeur.*
*Le plan **de l'**appartement.*
*Le remboursement **des** frais.*

La présence de l'article ou d'un autre déterminant (démonstratif, possessif) indique qu'il y a entre nom 1 et nom 2 une relation de dépendance ou d'appartenance : d'ailleurs, la transformation possessive est possible dans ce cas :

*Le bureau **du** directeur → **Son** bureau.*
*Le plan **de l'**appartement → **Son** plan.*
*Le remboursement **des** frais → **Leur** remboursement.*

b. Cas de nom 1 + à
+ nom 2 :

_ nom 1 + à + nom 2 :

*Un bateau **à** voiles.*
*Un stylo **à** plume.*

Voiles, plume, employés sans article ou autre déterminant, indiquent le type de bateau, de stylo.

_ nom 1 + au(x), à la, à l' + nom 2 :

*Une tarte **aux** pommes.*
*Le garçon **aux** cheveux courts.*

Ici, l'article sert à établir une relation de dépendance ou d'appartenance entre nom 1 et nom 2 (une tarte avec des pommes, le garçon qui a les cheveux courts).

_ **nom 1 + à + nom 2** (à = pour + infinitif) :

Un verre à eau. (= *un verre pour boire de l'eau*)

6. *L'article est supprimé dans le groupe prépositionnel modificateur du verbe :*

Cas de verbe + préposition + nom

Ne pas répondre à dessein.
Partir de force.
Mentir par nécessité.
Accepter avec joie.
Se faire arrêter sans résistance.

On constate que le groupe prépositionnel rattaché au verbe (lorsqu'il a, comme dans les exemples ci-dessus, la fonction de modificateur ou d'adverbe) ne contient pas d'article ou d'autre déterminant.

⚠ Toutefois, un article apparaîtra si le nom est déterminé par un adjectif, une construction relative, un groupe prépositionnel.

Accepter avec une joie extrême.
Accepter avec une joie qui fait plaisir à voir.
Accepter avec une joie d'enfant.

Remarques :
1. C'est surtout l'article indéfini qui apparaît ;
2. Ces manipulations du nom semblent faciles après la préposition **avec,** mais elles sont impossibles ou difficiles avec d'autres prépositions.

7. *Il y a également des possibilités de suppression de l'article liées à des phénomènes de syntaxe. Le nom peut être employé sans article :*

a. Devant des éléments coordonnés :

● par **et**

Le ministère de l'Éducation nationale propose une réforme des études supérieures qu'étudiants et professeurs repoussent unanimement.

● par **ou**

Quelles que soient vos préoccupations immédiates, chômage ou pouvoir d'achat, n'oubliez pas que la politique d'un pays, c'est aussi de préparer l'avenir.

• par **ni... ni..., sans... ni...**

*Pour le moment, nous n'avons ni **eau** ni **électricité**.*
*Voici le prix du loyer, sans **charges** ni **caution**.*

b. Dans la reprise pour fournir des exemples :

*Nous devons faire face à de nombreuses difficultés : **difficultés** financières, **difficultés** de gestion du personnel aussi.*

c. Dans l'énumération :

*Grâce à notre association, les jeunes peuvent pratiquer le sport de leur choix dans d'excellentes conditions : **ski, tennis, équitation, natation** et d'autres encore...*

d. Dans l'apposition :

*Le Club des Lecteurs a récompensé D.S., **écrivain** peu connu, pour son dernier roman qui ouvre la voie à un nouveau style d'expression littéraire.*

e. Dans le cas d'effacement du présentatif c'est **ou** il y a **(procédé fréquent dans le style journalistique) :**

*Le directeur de l'entreprise a annoncé que deux représentants du personnel siégeraient désormais au conseil d'administration. **Participation** pour certains, **démagogie** pour d'autres, la nouvelle est accueillie avec des sentiments partagés.*
(= C'est de la participation pour certains, c'est de la démagogie pour d'autres, en tout cas, la nouvelle...)

***Mauvais temps** partout en France : du nord au sud, les pluies seront abondantes et il faut s'attendre à quelques chutes de neige en montagne.*
(= Il y aura du mauvais temps partout...)

f. Pour mettre en relief une information (procédé généralisé pour les titres de journaux) :

***Baisse sensible** des demandeurs d'emploi en janvier.*
***Dialogue difficile** entre le patronat et les syndicats.*
***Traitement de choc** contre l'inflation.*

LES ADJECTIFS DÉMONSTRATIFS

L'adjectif démonstratif, comme l'article, se place devant le nom avec lequel il s'accorde :

singulier		pluriel	
masculin	féminin	masculin	féminin
ce ↓ cet[1]	cette	ces	

(1) *ce → cet* devant un mot masculin commençant par une voyelle ou un « h » muet : *cet appartement, cet ouvrier, cet hiver, cet horaire.*

L'adjectif démonstratif a une double fonction :

1. *Il sert à désigner :*

Ce livre ne m'appartient pas.
Nous habitons dans cet immeuble.
Tiens, range ces assiettes.

2. *Il sert à lier des informations présentées dans deux phrases différentes ou dans deux paragraphes différents :*

Le ministère de l'Éducation nationale vient de prendre différentes mesures pour mieux orienter les jeunes vers le marché du travail. Ces mesures entreront en vigueur à la rentrée prochaine et nécessiteront une révision complète des programmes scolaires.

Depuis une vingtaine d'années, le nombre des femmes actives a considérablement augmenté – de plus de 30 p. 100 selon les statistiques. Cette croissance massive ne doit cependant pas dissimuler un problème important, celui de l'accès encore difficile des femmes aux postes de responsabilité.

L'adjectif démonstratif joue donc un rôle syntaxique important en participant au phénomène de *la reprise,* très utilisé pour enchaîner les informations et donner une meilleure cohérence au texte. Le phénomène de la reprise est traité pages 232 à 234.

LES ADJECTIFS POSSESSIFS

L'adjectif possessif donne, par sa forme, une double indication :
— sur qui possède (je, tu, il/elle, nous, etc.) ;
— sur ce qui est « possédé » (masculin, féminin, singulier, pluriel).

singulier		pluriel	
masculin	féminin	masculin	féminin
mon	ma[1]	mes	
ton	ta[1]	tes	
son	sa[1]	ses	
	leur	leurs	
	notre	nos	
	votre	vos	

(1) Devant un mot féminin commençant par une voyelle ou un « h » muet :

ma → *mon :* mon intervention
ta → *ton :* ton amitié
sa → *son :* son habitude

Quand *mon, ton, son* sont suivis d'un mot masculin ou féminin commençant par une voyelle ou un « h » muet, on fait la liaison avec

n : mon ami(e),
ton exemple, son hôtel.

1. L'indication sur qui possède :

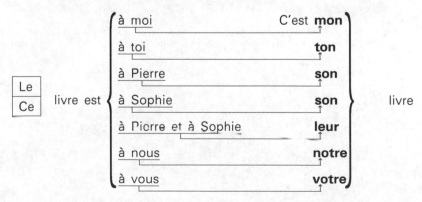

		à moi	C'est **mon**
		à toi	**ton**
Le		à Pierre	**son**
Ce	livre est	à Sophie	**son**
		à Pierre et à Sophie	**leur**
		à nous	**notre**
		à vous	**votre**

livre

2. *L'indication sur ce qui est possédé (masculin, féminin, singulier, pluriel) :*

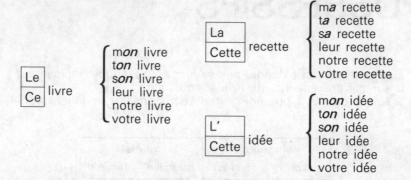

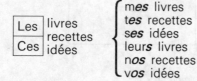

LES ADJECTIFS INTERROGATIFS

L'adjectif interrogatif porte la marque du masculin, du féminin, du singulier, du pluriel :

Tu as aimé *le* film ?
— *Quel* film ?
Il vous a parlé de *ses* problèmes ?
— *Quels* problèmes ?
Il paraît qu'il a pris *une* décision.
— *Quelle* décision ?
J'ai des responsabilités, moi !
— *Quelles* responsabilités ?

L'adjectif interrogatif peut être précédé d'une préposition selon la construction verbale utilisée :

De quelle revue est tiré cet article ?
(être tiré *d'*une revue)
À quel spectacle souhaitez-vous assister ?
(assister *à* un spectacle)

L'adjectif interrogatif est, par définition, toujours suivi d'un nom ; si le nom n'est pas exprimé, l'interrogation se fait à l'aide des pronoms interrogatifs dont les formes sont présentées pages 41-42 :

Vous avez deux voitures. *De laquelle* vous servez-vous le plus ?
(= de quelle voiture vous servez-vous le plus ?)

Remarque : Les formes **quel(s), quelle(s)** sont également utilisées dans la construction exclamative :

Quel vent, aujourd'hui !
Quels élèves !
Quelle histoire !
Quelles vacances !

LES ADJECTIFS INDÉFINIS

Les éléments présentés ci-dessous sont classés parmi les adjectifs parce qu'ils précèdent le nom et portent pour la plupart la marque du masculin, du féminin, du singulier ou du pluriel. Mais on pourra les retrouver, sous la même forme, dans d'autres classes regroupant les négatifs, les quantitatifs, les comparatifs. Les adjectifs indéfinis peuvent être également utilisés comme pronoms (cf. pages 39-40).

1. Les adjectifs indéfinis non précédés d'un déterminant (c'est-à-dire d'un article, d'un démonstratif ou d'un possessif) :

– certain(e)(s)

> J'ai relevé **certaines** contradictions dans votre exposé.

– aucun(e)

> Vous n'avez **aucun** intérêt à faire cela.

– nul(le)

> Je m'installerai ici si vous n'y voyez **nul** inconvénient.
> Je n'ai **nulle** envie de partir.

– tout, tous, toute(s) + déterminant

> Il a laissé **toutes ses** affaires chez moi.

Remarques :
1. **Tout, tous, toute(s)** non suivis d'un déterminant expriment la concession :

> *Toute* initiative sera bien accueillie.
> (= N'importe quelle initiative sera bien accueillie.
> = Quelle que soit l'initiative, elle sera bien accueillie.)

2. **Tout, tous, toute(s)** utilisés dans la séquence déterminant + tout, tous, toute(s) + adjectif + nom prennent la valeur d'un superlatif :

> Je vous apporte *les toutes dernières nouvelles*.
> (= les nouvelles les plus récentes)

– tel(s), telle(s)

> Il m'a dit de me présenter **tel** jour à **telle** heure ;
> je n'ai aucune autre information.
> Que vous le mettiez dans **telle ou telle** école, il ne réussira pas mieux !

Remarque : **Un tel, une telle, de tels, de telles** sont utilisés dans le phénomène de la reprise :

> *Ici, les réunions de travail ne sont pas prises au sérieux : les gens arrivent en retard, entrent et sortent, bavardent, etc. De telles pratiques sont inacceptables plus longtemps.*
> *(= ces pratiques, des pratiques comme celles-là)*

2. Les adjectifs indéfinis précédés d'un déterminant :

– même(s)

Elles portaient toutes les deux la même robe.

– autre(s)

Pourriez-vous me donner un autre exemple ?

Remarques :
- On emploie **des** devant **autres** lorsque la construction verbale est **verbe + de** :

  Occupez-vous des autres clients ! (s'occuper *de* quelqu'un)

- On emploie **d'** devant **autres** lorsque la construction verbale est directe :

  J'ai d'autres modèles à vous proposer (proposer quelque chose).

Cette forme est celle qui apparaît toujours devant l'adjectif antéposé (c'est-à-dire l'adjectif qui précède le nom) :
Je lui ai donné de faux espoirs.
Nous avons passé d'agréables vacances.

3. Les adjectifs indéfinis précédés ou non d'un déterminant :

– différent(e)(s)

J'ai essayé différents produits. Rien n'est efficace !
Indiquez les différentes manières de procéder.

– divers(es)

Diverses explications peuvent être avancées.
Reprenons les divers arguments.

Remarques :
1. **Différent(e)s** et **divers(es)** employés comme adjectifs indéfinis apparaissent devant des noms pluriels.
2. **Différent(e)(s)** et **divers(es)** peuvent être employés après le nom
- toujours au pluriel pour **divers(es)** :
  Des opinions diverses ont été exprimées.
- au singulier ou au pluriel pour **différent(e)(s)** :
  Je voudrais mener une vie différente.
  Vous donnez des arguments différents chaque fois !

4. Les adjectifs indéfinis invariables employés :

● Toujours au singulier : **– chaque**

Nous jouons chaque pièce avec le même enthousiasme.

● Toujours au pluriel : **– plusieurs**

Vous avez le choix entre plusieurs langues : l'anglais, l'espagnol, le chinois et l'arabe.

● **Au singulier ou**
  au pluriel :

– **quelque**

> Cet été, j'ai gagné **quelque** argent en vendant
> des pizzas.
> (= J'ai gagné un peu d'argent en vendant des
> pizzas.)

– **quelques**

> Nous reparlerons de tout cela dans **quelques**
> années.
> (= dans plusieurs années / dans un certain
> nombre d'années)

Remarque : **Quelques** peut être précédé d'un déterminant.

> **Les quelques** jours que j'ai passés en Bretagne m'ont
> fait beaucoup de bien.
> (= le petit nombre de jours)

LES ADJECTIFS QUALIFICATIFS

La place de l'adjectif qualificatif par rapport au nom varie. Certains adjectifs se placent toujours avant le nom : un *beau* monument ; d'autres toujours après le nom : une voiture *rouge*. Mais beaucoup d'adjectifs peuvent être placés avant ou après le nom, ce qui entraîne, dans certains cas, un changement de sens : un *brave* garçon (= un gentil garçon) ; un garçon *brave* (= un garçon courageux).

1. Les adjectifs placés avant le nom, appelés adjectifs antéposés, sont les suivants : ↳ before

- **beau (bel), belle**

    *C'est un très **bel** enfant.*

- **joli(e)**

    *Vous avez une **jolie** veste.*

- **bon(ne)**

    *J'ai fait une **bonne** affaire !*

- **mauvais(e)**

    ***Mauvais** temps, aujourd'hui !*

- **petit(e)**

    *Nous avons acheté une **petite** maison en banlieue.*

- **grand(e)**

    *Il nous faut un **grand** appartement.*

Mais, placé devant *homme* ou devant un nom de métier, *grand* signifie *qui a de la valeur.*

   *C'est un **grand** homme. C'est un **grand** architecte.*

Pour indiquer la taille, on dira :
   *C'est un homme **grand**.*

- **gros(se)**

    *J'ai do **gros** ennuis en ce moment !*

- **long(ue)**

    *Ça, c'est une **longue** histoire !*

– jeune

*Ce sont de **jeunes** artistes qui ont eu les prix !*

– vieux (vieil), vieille

*Pierre est un **vieil** ami.*

Remarque : Devant l'adjectif antéposé, **des** → **de** ou **d'** :
*J'ai **des** ennuis. J'ai **de gros** ennuis.*

Toutefois, on trouve souvent **des** devant les adjectifs **petit(e)(s)**, **grand(e)(s)**, **bon(ne)(s)**, **gros(ses)**, **mauvais(es)**.

*Ce n'est pas la peine de faire **des grands** discours !*

2. *Parmi les adjectifs postposés, c'est-à-dire placés après le nom :*

a. Il y a ceux qui sont toujours postposés.

• Les adjectifs indiquant la couleur

*Un pull **vert**, des lunettes **noires**, un ciel **gris**.*

• Les adjectifs indiquant la forme

*Une pièce **carrée**, une boîte **ovale**.*

• Les adjectifs qui ont la forme d'un participe passé

*C'est un artiste **connu**.*

ou d'un participe présent

*Voilà un exemple **frappant** !*

Beaucoup d'autres adjectifs sont obligatoirement postposés, mais leur diversité empêche un classement rigoureux par catégories.

*Les voitures **japonaises**.*
*Le style **administratif**.*
*Une monnaie **stable**.*

b. Il y a les adjectifs qui, normalement postposés, peuvent être placés avant le nom à des fins d'insistance ou de mise en valeur.

*Nous avons passé des vacances **agréables**.*
*Nous avons passé d'**agréables** vacances.*

Remarque : Dans ce cas, **des** devient obligatoirement **de** ou **d'**.
Le déplacement de l'adjectif n'est possible que pour certains adjectifs ; il semble que ce soit le cas pour les adjectifs exprimant une appréciation :

*Vous devrez gérer un **important** budget.*
*(ou : un budget **important**)*

*On nous a servi un **excellent** repas.*
*(ou : un repas **excellent**)*

Mais il n'est pas possible de formuler de règle précise ; ici, l'usage permet seul d'acquérir les bons réflexes.

3. Certains adjectifs changent de sens selon qu'ils sont placés avant ou après le nom. Les cas ne sont pas très nombreux ; parmi ceux-ci, on peut indiquer :

– pauvre(s)

> **Pauvre** famille ! (= famille malheureuse, qui a des ennuis)
> Une famille **pauvre**. (= une famille qui n'a pas assez d'argent)

– brave(s)

> C'est un **brave** garçon ! (= un gentil garçon)
> Un garçon **brave**. (= courageux)

– ancien(ne)(s)

> Donne-moi l'**ancienne** facture. (= la facture précédente)
> C'est une facture **ancienne**. (= une vieille facture)

Remarque : Avec un nom de métier, cet adjectif se place avant

> C'est un **ancien** chauffeur de taxi

et signifie a **été** ou **était**.

– dernier(s), dernière(s)

> C'est la **dernière** semaine de cours. (= il n'y a plus de cours après cette semaine)
> Nous n'avons pas eu de cours la semaine **dernière**. (= la semaine passée / il y a une semaine)

– faux, fausse(s)

> C'est un **faux** problème. (= un problème apparent mais qui n'est pas réel)
> J'ai fait deux problèmes **faux** sur trois. (= deux problèmes de mathématiques qui comportent des erreurs)

– simple(s)

> Il me faut une **simple** signature. (= une signature seulement)
> Je vous ai fait un repas **simple**. (= un repas sans complications)

– cher(s), chère(s)

> Que vas-tu faire de ta **chère** voiture ? (= de cette voiture à laquelle tu tiens tant !)
> Ce n'est pas la peine d'avoir une voiture **chère**. (= une voiture qui coûte cher / dont le prix est élevé)

– certain(e)(s)

> Cela peut nous causer **certains** ennuis. (= quelques ennuis)
> Cela peut nous causer des ennuis **certains**. (= de graves ennuis)

LA CONSTRUCTION RELATIVE

1. *La construction relative est en relation avec* le nom :

Le pronom relatif a les mêmes fonctions
- *de sujet*

   J'ai reçu une lettre **qui** annonce son arrivée.

   (= une lettre annonce son arrivée)

- *de complément*

   Les mesures **que** nous proposons doivent améliorer les conditions de travail.

   (= nous proposons des mesures)

Le pronom relatif présente certaines formes qui prennent la marque du masculin, du féminin, du singulier ou du pluriel en accord avec le nom qu'il remplace ; c'est le cas de :

- **auquel, auxquels, à laquelle, auxquelles**

   Il y a des contraintes **auxquelles** on ne peut pas échapper.

- préposition + **lequel, lesquels, laquelle, lesquelles**

   On a retrouvé la voiture **avec laquelle** les gangsters se sont enfuis.

- **duquel, desquels, de laquelle, desquelles**

   Il y a en plus six mois d'études au cours **desquels** les étudiants prennent

   contact avec le milieu professionnel.

Les autres formes du pronom relatif sont invariables :

- pour le pronom sujet : **qui** ;

- pour les pronoms compléments : **que, dont, à qui.**

2. *La construction relative est également en relation avec* le verbe :

Les formes du pronom relatif complément sont directement liées au type de construction verbale (construction directe, construction avec *à,* avec *de,* avec une autre préposition). Se reporter pages 47 à 50.

LES MODIFICATEURS DU NOM

Outre les adjectifs (cf. pages 27 à 29) et la construction relative (cf. page 30), on peut trouver, après le nom, des modificateurs qui servent à apporter une précision, une information supplémentaire par rapport au nom employé seul. Les principaux modificateurs du nom sont introduits par les prépositions suivantes :

a. de + nom

une usine de voitures
un bateau de pêche
les problèmes de société

Ici, le groupe *de + nom* (à noter qu'il n'y a pas de déterminant avant le nom ; cf. page 17) sert à préciser *le type* d'usine, de bateau, de problèmes.

b. à + nom

Deux cas distincts se présentent :

— **à** = avec

un bateau à voiles (= un bâteau avec des voiles)
un tissu à carreaux (= un tissu avec des carreaux)
une belle femme aux yeux verts (= avec des yeux verts)

Remarque : **à** est le plus souvent suivi d'un nom au pluriel.

— **à** = pour + infinitif (indication de la finalité)

un verre à whisky (= pour boire du whisky)
une cuillère à soupe (= pour manger la soupe)

Remarque : **à** est le plus souvent suivi d'un nom singulier.

c. à + infinitif

une poudre à laver (= pour laver)
une machine à coudre (= pour coudre)

d. sans + nom

un film sans intérêt (= inintéressant, qui n'est pas intéressant)
un régime sans sel (= qui interdit la consommation de sel)

e. en + nom

— **en** = fait(e) de/avec

un manteau en fourrure/de fourrure (= fait de fourrure)
une construction en béton (= faite avec du béton)

— **en** = avoir la forme de

des yeux en amande (= qui ont la forme d'une amande)

le groupe du verbe

LE GROUPE DU VERBE

Ce tableau présente les éléments qui peuvent précéder le verbe (éléments antéposés) et ceux qui peuvent le suivre (éléments postposés) ainsi que les éléments rattachés au verbe comme la négation, la quantité, la comparaison et les modificateurs. Les références renvoient à la présentation détaillée de chacun de ces éléments.

ÉLÉMENTS ANTÉPOSÉS

- **GROUPE DU NOM** (pp. 10 et 11)

- **PRONOMS SUJETS**
  - pronoms personnels (p. 36)
  **je, tu, nous, vous,
  il(s), elle(s), on**
  - pronom relatif (p. 30 et pp. 47 à 50)
  qui
  - pronoms démonstratifs (p. 37)
  **ceci, cela (ça),
  celui-ci/là, ceux-ci/là, celle(s)-ci/là
  celui de, ceux de, celle(s) de
  celui qui, ceux qui, celles(s) qui, ce qui**
  - pronoms possessifs (p. 38)
  **le mien, le tien, le nôtre, le vôtre,
  le sien, le leur
  (et les formes du féminin et du pluriel
  correspondantes)**
  - pronoms indéfinis (pp. 39 et 40)
  ex. **chacun, personne, certain(e)(s),
  autre, tout,** etc.
  - pronoms interrogatifs (pp. 41 et 42)
  **lequel, lesquels, laquelle, lesquelles
  auquel, auxquels, à laquelle, auxquelles
  duquel, desquels, de laquelle, desquelles**

- **PRONOMS PERSONNELS COMPLÉMENTS**[1] (pp. 43 à 46)
  **me, te, nous, vous
  le, la, les
  lui, leur
  en, y**

(1) cf. Dictionnaire des verbes pour les différents types de construction (p. 63) et le tableau des correspondances verbes-pronoms pour la forme des pronoms personnels compléments (pp. 51 et 52).

ÉLÉMENTS POSTPOSÉS[1]

■ CONSTRUCTION DIRECTE

- groupe du nom (ex : *J'ai acheté une voiture*)
- pronoms :
  - démonstratifs (p. 37)
  - possessifs (p. 38)
  - indéfinis (pp. 39 et 40)
  - interrogatifs (pp. 41 et 42)
- infinitif (ex : *Je préfère aller au cinéma*)

■ CONSTRUCTION INDIRECTE

c'est-à-dire avec préposition liée au verbe et suivie :

- d'un groupe du nom (ex : *Je m'intéresse à la musique baroque*)
- d'un pronom
  - personnel complément (pp. 43 à 46)
    moi, toi, nous, vous
    lui, eux, elle, elles (ex : *Elle partira avec eux*)
  - démonstratif (p. 37)
  - possessif (p. 38)
  - indéfini (pp. 39 et 40)
  - interrogatif (pp. 41 et 42)
- d'un infinitif (ex : *Je vous interdis de sortir*)

■ CONSTRUCTION INFINITIVE (pp. 59 à 61)

■ CONSTRUCTION COMPLÉTIVE (pp. 46 et 47, 142 à 145)

- Verbe 1 + que + Verbe 2 à l'indicatif
  (ex : *Je suis sûr qu'il viendra*)
- Verbe 1 + que + Verbe 2 au subjonctif
  (ex : *J'aimerais qu'il vienne*)

■ CONSTRUCTION INTERROGATIVE INDIRECTE

(pp. 89 à 91)
introduite par : **si, ce qui, ce que, comment, pourquoi, où, quand,** etc...
(ex : *Je ne sais pas si c'est prêt*)

ÉLÉMENTS RATTACHÉS

Négation	Quantité	Comparaison	Modificateurs
(pp. 94 à 100)	(p. 107)	(p. 112)	(pp. 218 à 220)

LES PRONOMS PERSONNELS SUJETS

ET LES PRONOMS DE RENFORCEMENT CORRESPONDANTS

			pronom sujet + verbe	pronom de renforcement + pronom sujet + verbe (à l'oral)[1]	pronom sujet + verbe + pronom de renforcement
1re pers.	sing.		**je** / *j'irai*	**moi, je** / *moi, j'irai*	**je... moi-même** / *j'irai **moi-même***
	plur.		**nous** / *nous irons*	**nous, nous** / *nous, nous irons*	**nous... nous-mêmes** / *nous irons **nous-mêmes***
2e pers.	sing.		**tu** / *tu iras*	**toi, tu** / *toi, tu iras*	**tu... toi-même** / *tu iras **toi-même***
			vous (politesse) / *vous irez*	**vous, vous** / *vous, vous irez*	**vous... vous-même** / *vous irez **vous-même***
	plur.		**vous** / *vous irez*	**vous, vous** / *vous, vous irez*	**vous... vous-mêmes** / *vous irez **vous-mêmes***
3e pers.	masc.	sing.	**il** / *il ira*	**lui, il** / *lui, il ira*	**il... lui-même** / *il ira **lui-même***
		plur.	**ils** / *ils iront*	**eux, ils** / *eux, ils iront*	**ils... eux-mêmes** / *ils iront **eux-mêmes***
	fém.	sing.	**elle** / *elle ira*	**elle, elle** / *elle, elle ira*	**elle... elle-même** / *elle ira **elle-même***
		plur.	**elles** / *elles iront*	**elles, elles** / *elles, elles iront*	**elles... elles-mêmes** / *elles iront **elles-mêmes***

Cas du pronom ON

on = nous (je + tu, je + vous) *on ira*	**nous, on** (oral) *nous, on ira*	**on... nous-mêmes** (oral) *on ira **nous-mêmes***

Remarque : Le participe passé prend la marque du pluriel
*on y est allés = **nous** y sommes allés.*

on = quelqu'un, tout le monde, chacun, les gens, personne *ici, **on** conduit à gauche*		**on... soi-même** *on se sert **soi-même***

Remarque : Le participe passé ne prend pas la marque du pluriel
on est toujours menacé par la maladie = chacun/tout le monde est menacé par la maladie.

on = je

*on fait ce qu'**on** peut, hein !*
*(= **je** fais ce que **je** peux)*

on = tu (ironie, reproche)

*c'est maintenant qu'**on** arrive !*
*(= que **tu** arrives)*

(1) Le pronom de renforcement est également utilisé à l'écrit ; il se place, dans ce cas :
– après le nom ou le groupe nom + verbe :
*Les étudiants en médecine, **eux,** ne sont pas concernés.*
*La directrice ne souhaite pas, **elle,** qu'on modifie les programmes.*
– après le groupe pronom sujet + verbe :
*Il n'a, **lui,** aucune raison de s'inquiéter.*

LES PRONOMS DÉMONSTRATIFS

indéfini		ceci/cela	ce, c' ça (oral)
masculin	singulier	celui (-ci, -là)	
	pluriel	ceux (-ci, -là)	
féminin	singulier	celle (-ci, -là)	
	pluriel	celles (-ci, -là)	

Les pronoms démonstratifs sont utilisés pour désigner quelqu'un ou quelque chose ou pour éviter une répétition :

– Pour désigner un objet, les pronoms masculin et féminin sont accompagnés de *-ci* ou *-là*.

> *Vous prenez quel manteau, finalement ?*
> *– **Celui-ci (celui-là)**, il est plus classique.*
>
> *Ces places sont réservées, mais vous pouvez prendre **celles-ci (celles-là)**, elles sont libres.*

– Placés devant un nom ou un nom propre, les pronoms masculin et féminin sont suivis de ***de.***

> *Si tu veux faire du vélo, prends **celui de** Pierre.*
> *Il a suivi la meilleure voie, **celle du** bon sens.*

– Les pronoms démonstratifs sont souvent utilisés en combinaison avec un pronom relatif.

> *Il est venu voir **ce qui** n'allait pas.*
> *(= les choses qui n'allaient pas)*
>
> *Comment s'appelle cet artiste ? **Celui dont** toute la presse parle en ce moment*
> *(parler de quelqu'un)*
>
> *Je ne veux pas garder toutes ces photos. Prends **celles que** tu veux.*
> *(vouloir quelque chose)*

LES PRONOMS POSSESSIFS

Les pronoms possessifs sont utilisés pour éviter une répétition (cf. la reprise p. 232).

> *Tu n'as pas **ton livre** ? Prends **le mien**.*
> *(= prends mon livre)*
> *Ma voiture est en panne, tu me prêtes **la tienne** ?*
> *(= ta voiture)*

Comme les adjectifs possessifs (mon, ma, mes, ton, ta, etc., présentés pp. 21 et 22), les pronoms possessifs indiquent par leur forme :
_ qui possède (je, tu, il/elle, nous, etc.) ;
_ ce qui est « possédé » (masculin, féminin, singulier, pluriel).

masculin		féminin	
singulier	pluriel	singulier	pluriel
le mien	les miens	la mienne	les miennes
le tien	les tiens	la tienne	les tiennes
le sien	les siens	la sienne	les siennes
le leur	les leurs	la leur	les leurs
le nôtre	les nôtres	la nôtre	les nôtres
le vôtre	les vôtres	la vôtre	les vôtres

Remarques :
1. Les marques du masculin, féminin, singulier, pluriel sont indiquées d'une part sur l'article, d'autre part sur le pronom lui-même.

2. La prononciation doit permettre de bien distinguer le masculin du féminin :

mien(s), tien(s), sien(s) → terminés par [$\tilde{\varepsilon}$] ;
mienne(s), tienne(s), sienne(s) → terminés par [εn].

3. Les pronoms **nôtre(s)** et **vôtre(s)** (écrits avec un accent circonflexe) sont prononcés avec un [o] (« o » fermé), alors que les adjectifs possessifs **notre** et **votre** (notre voiture, votre fils) sont prononcés avec un [ɔ] (« o » ouvert).

LES PRONOMS INDÉFINIS

Ils peuvent être classés en deux catégories :

1. *Les pronoms qui ont la valeur d'un nom indéfini comme :*

   _ **tout**

   > **Tout** a été dit.

   _ **quelqu'un**

   > **Quelqu'un** a sonné.

   _ **chacun**

   > **Chacun** a droit à sa part.

   _ **quiconque**   whoever/anyone(body)

   > Vous savez mieux que **quiconque** comment évolue la situation.

   _ **rien**

   > **Rien** ne pouvait me faire plus plaisir.

   _ **personne**

   > Aujourd'hui, le médecin ne reçoit **personne**.

   _ **nul** /nulle   no

   > **Nul** ne peut ignorer la loi.   law

2. *Les pronoms qui reprennent un nom déjà exprimé :*

   _ **certain(e)s**

   > Parmi **les lettres** que nous avons reçues, **certaines** contiennent des informations qui peuvent faire avancer l'enquête.

   _ **quelques-un(e)s**

   > Depuis des années, je loue cette chambre à **des étudiants**. **Quelques-uns** continuent à m'écrire.

– **plusieurs**

> ***Des anecdotes*** *comme celles-là, je peux vous en raconter **plusieurs** !*

– **un(e) autre, d'autres, l'autre, les autres**

> ***Ces gâteaux*** *sont délicieux ! Je peux en prendre **un autre** ?*
> *Je t'emprunte **ces** deux **livres**. **Les autres** ne m'intéressent pas.*

– **le même, la même, les mêmes**

> *J'ai acheté **ce pull** ici il y a quelques jours. Auriez-vous **le même** en rouge ?*

– **aucun(e)**

> *Nous avons visité plusieurs appartements aujourd'hui.*
> ***Aucun*** *ne convient.*

– **tel(s), telle (s)**

> *Elle devrait être ravie. Mais **tel** n'est pas le cas !*
> *(= Mais cela n'est pas le cas !)*

LES PRONOMS INTERROGATIFS

Seules les formes des pronoms interrogatifs sont présentées ici ; pour avoir des informations sur les types de construction de la phrase interrogative, se reporter aux pages 84 à 88.

1. *Les pronoms interrogatifs sujets.*

a. La question porte sur quelqu'un d'indéterminé :	– qui *Qui a dit ça ?*
b. La question porte sur un choix concernant une personne ou une chose :	– lequel, lesquels, laquelle, lesquelles *J'ai trois frères.* **Lequel** *est en classe avec vous ?* *Parmi ces dessins,* **lesquels** *sont identiques ?* ⚠ Avec le pronom interrogatif sujet, il n'y a aucune possibilité d'inversion verbe – nom ou pronom personnel. On ne dit pas : **Lequel** *est-il en classe avec vous ?*

2. *Les pronoms interrogatifs compléments.*

a. La question porte sur quelqu'un d'indéterminé :	– qui *Qui avez-vous vu ?* *(voir quelqu'un)* Remarque : **qui** peut être précédé d'une préposition selon la construction verbale : *Avec qui parlais-tu ?* (parler avec quelqu'un) *À qui pensez-vous ?* (penser à quelqu'un) *De qui se souvient-il ?* (se souvenir de quelqu'un)
b. La question porte sur quelque chose d'indéterminé :	– que *Que faites-vous ?* *(faire quelque chose)* – **préposition + quoi** selon la construction verbale *À quoi pensez-vous ?* *(penser à quelque chose)* *De quoi s'occupe-t-il ?* *(s'occuper de quelque chose)* *Par quoi commence-t-on ?* *(commencer par quelque chose)*

c. La question porte sur un choix concernant une personne ou une chose :

_ **lequel, lesquels, laquelle, lesquelles**

Les trois candidats sont excellents. **Lequel** *va-t-on choisir ?*
(choisir un candidat)
Tu as vu les photos ? **Laquelle** *préfères-tu ?*
(préférer une photo)

Si le verbe se construit avec une préposition, la forme du pronom dépend de la préposition :
• verbe + préposition autre que *à* ou *de,* on utilise :

_ **préposition + lequel, lesquels, laquelle, lesquelles**

J'ai deux chambres d'amis. **Dans laquelle** *veux-tu dormir ?*
(dormir dans une chambre)

• verbe + préposition *à*, on utilise :

_ **auquel, auxquels, à laquelle, auxquelles**

Il y a deux secrétaires dans le même bureau ; **à laquelle** *t'es-tu adressé(e) ?*
(s'adresser à quelqu'un)

• verbe + préposition *de,* on utilise :

_ **duquel, desquels, de laquelle, desquelles**

Je sais que vous avez des tas de projets. **Duquel** *parlez-vous en ce moment ?*
(parler de quelque chose)

⚠ Avec le pronom interrogatif complément, l'inversion verbe - nom ou pronom personnel sujet se fait, du moins dans le style d'expression soutenu (voir les possibilités de construction dans le style courant pages 85, 87 et 88).

LES PRONOMS PERSONNELS COMPLÉMENTS D'OBJET

Les pronoms personnels compléments d'objet sont utilisés pour éviter la répétition.

> *Si tu vois Pierre, dis-**lui** que nous l'attendons.*
> *(= Si tu vois Pierre, dis à **Pierre** que nous attendons **Pierre**)*

Les formes des pronoms personnels compléments d'objet sont nombreuses et varient :

– suivant que le pronom remplace une personne ou une chose (cf. tableaux 1 et 2 page suivante),

– suivant la construction verbale dont le pronom dépend : comme le fait clairement ressortir le tableau 1, ce sont les formes de la 3ᵉ personne (correspondant aux pronoms personnels sujets *il(s)* et *elle(s)* qui sont les plus différentes :

le, la, l', les, en (partitif) */ lui, leur / lui, eux – elle, elles*

et donc les plus difficiles à manipuler.

Le tableau 2 montre également la diversité des formes des pronoms remplaçant une chose :

le, la, l', les – en (partitif) */ y / en.*

⚠ Les formes des pronoms personnels compléments d'objet correspondant à la 3ᵉ personne *sont directement liées à la construction verbale.* Pour savoir précisément quel pronom il faut utiliser avec tel verbe, on se référera au *Dictionnaire des verbes* (p. 59) et au *Tableau des correspondances verbes-pronoms* (p. 51).

1. *Formes des pronoms remplaçant une personne* (tableau 1)

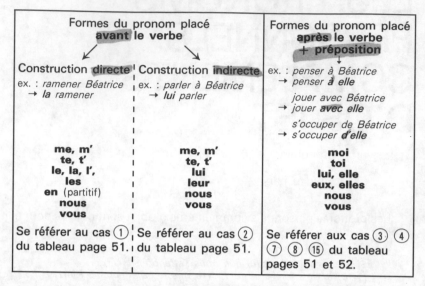

Formes du pronom placé **avant** le verbe		Formes du pronom placé **après** le verbe + **préposition**
Construction **directe**	Construction **indirecte**	ex. : *penser à Béatrice* → *penser à elle*
ex. : *ramener Béatrice* → *la ramener*	ex. : *parler à Béatrice* → *lui parler*	*jouer avec Béatrice* → *jouer avec elle*
		s'occuper de Béatrice → *s'occuper d'elle*
me, m' te, t' le, la, l', les en (partitif) nous vous	me, m' te, t' lui leur nous vous	moi toi lui, elle eux, elles nous vous
Se référer au cas ① du tableau page 51.	Se référer au cas ② du tableau page 51.	Se référer aux cas ③ ④ ⑦ ⑧ ⑮ du tableau pages 51 et 52.

2. *Formes des pronoms remplaçant une chose* (tableau 2)

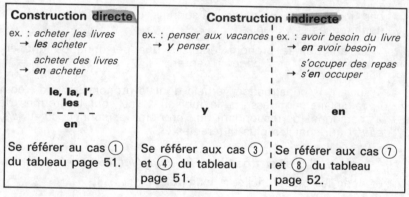

Construction **directe**	Construction **indirecte**	
ex. : *acheter les livres* → *les acheter*	ex. : *penser aux vacances* → *y penser*	ex. : *avoir besoin du livre* → *en avoir besoin*
acheter des livres → *en acheter*		*s'occuper des repas* → *s'en occuper*
le, la, l', les ----- en	y	en
Se référer au cas ① du tableau page 51.	Se référer aux cas ③ et ④ du tableau page 51.	Se référer aux cas ⑦ et ⑧ du tableau page 52.

Note : Les pronoms *le, en* et *y* peuvent remplacer une phrase ou un élément de phrase ; le choix de l'un ou de l'autre dépend aussi de la construction du verbe :

La plupart des jeunes n'ont pas de travail : il faut le savoir.
(construction directe : savoir quelque chose)

C'est un très bon médecin : j'en suis persuadé.
(construction indirecte : être persuadé *de* quelque chose)

Les magasins sont fermés le lundi : est-ce que tu y as pensé ?
(construction indirecte : penser *à* quelque chose)

3. *Formes des pronoms dans la conjugaison des verbes pronominaux*

Le pronom qui accompagne obligatoirement le verbe représente la même personne que le sujet du verbe : ex. : *s'installer* → *je m'installe.*

Ce pronom est toujours placé entre le sujet et le verbe ; ses formes sont les suivantes :

(tableau 3)

me, m'	je m'installe
te, t'	tu t'installes
se, s'	il s'installe ils s'installent
nous vous	nous nous installons vous vous installez

Le verbe pronominal peut se construire avec une préposition : se référer aux deux tableaux de la page precédente et aux cas ④ ⑧ et ⑮ du tableau pages 51 et 52.

4. Place des pronoms personnels compléments d'objet

(tableau 4)

	forme affirmative	forme négative
verbe au présent imparfait condition. prés. subjonctif	Il [me] → ramène	Il ne [me] → ramène pas
verbe au passé composé plus-que-parfait futur antérieur condition. passé	Il [m'] → a ramené(e)	Il ne [m'] → a pas ramené(e)
	Attention à l'accord du participe passé après les pronoms **l'**, **les** et les pronoms **m'**, **t'**, **nous**, **vous** lorsqu'ils sont compléments d'objet direct. (Cf. règles d'accord pp. 129 à 132.)	
faire laisser voir regarder } + **infinitif** entendre écouter sentir	Il [me] → fait travailler	Il ne [me] → fait pas travailler
autre verbe **+ infinitif**	Il faut ← [me] → ramener Il sait ← [me] → comprendre	Il ne faut pas ← [me] → ramener Il ne sait pas ← [me] → comprendre
verbe à **l'impératif**	Ramène- ← [moi] [1, 2] Achètes- ← [en] [2]	Ne [me] → ramène pas N' [en] → achète pas
faire laisser voir regarder } + **infinitif** entendre écouter sentir	Fais- ← [moi] travailler[1]	Ne [me] → fais pas travailler

(1) Avec un verbe à l'impératif, à la forme affirmative : me → moi, te → toi

mais moi devant *en*

→ m'en : Achète-m'en et toi devant *en*
→ t'en : Occupe-t'en.

(2) Les verbes en -er

(ramener, acheter, etc.) s'écrivent sans « s » devant tous les pronoms sauf *en* et *y* : Achètes-en, Vas-y. Prononciation : la liaison est obligatoire.

5. Ordre des pronoms dans une succession de deux pronoms personnels compléments d'objet

(tableau 5)

sujet +	me, m' te, t' se, s' nous vous } le, la, l', les, en[1], y[1] + verbe
	Exemples : *Il vous le donne – Tu m'en donneras – Il s'en occupe –* *Je t'y emmènerai – Vous vous y intéressez vraiment ?*
	l' les } en[2], y[1] + verbe
	Exemples : *Je les en empêcherai – Tu l'y conduiras*
sujet +	le la les } lui, leur + verbe
	Exemples : *Je le lui donnerai – Pierre la leur apportera*
	lui leur } en[3] + verbe
	Exemples : *Je lui en donnerai – On leur en apportera*

(1) *En* quantitatif ou pronom lié à la construction verbe + *de* ;

y indiquant le lieu ou pronom lié à la construction verbe + *à*.

(2) *En* uniquement pronom

lié à la construction verbe + *de*.

(3) *En* uniquement quantitatif.

Remarque : Avec un verbe à l'impératif, à la forme affirmative, les pronoms le, la, les se placent immédiatement après le verbe :

Achète-le-moi ;

le pronom en est placé après le verbe + autre pronom :

Achète-m'en, occupez-vous-en.

LES PRONOMS RELATIFS

Les pronoms relatifs sont utilisés pour lier, dans la même phrase, deux informations concernant le même élément :

*On m'a indiqué un médecin **qui** soigne par les plantes.*
(= On m'a indiqué un médecin. Ce médecin soigne par les plantes.)

*On m'a indiqué un médecin **que** je ne connais pas.*
(On m'a indiqué un médecin. Je ne connais pas ce médecin.)

*Le médecin **dont** on m'a parlé est spécialiste des maladies tropicales.*
(= On m'a parlé d'un médecin. Ce médecin est spécialiste des maladies tropicales.)

Les pronoms relatifs se présentent sous de nombreuses formes, comme l'indique le tableau pp. 48 et 49.

C'est l'emploi des pronoms relatifs compléments qui est le plus difficile, car **seule la connaissance de la construction verbale permet de sélectionner la bonne forme** ; pour savoir précisément quel pronom relatif il faut utiliser avec tel verbe, on se référera au *Dictionnaire des verbes* (p. 59) et au *Tableau des correspondances verbes-pronoms* (pp. 51 et 52).

Il faut noter que certains pronoms compléments portent la marque du masculin, du féminin, du singulier, du pluriel :

	singulier	pluriel
masculin féminin	**auquel** **à laquelle**	**auxquels** **auxquelles**
masculin féminin	**lequel** **laquelle**	**lesquels** **lesquelles**
masculin féminin	**duquel** **de laquelle**	**desquels** **desquelles**

PRONOMS RELATIFS PLACÉS APRÈS

		UN NOM **UN PRONOM** (cf. Remarques p. 50)	**LE PRONOM ce** • qui remplace « la chose », « les choses » • qui reprend une information, une phrase
Sujet		**qui** Je reste avec Pierre **qui** est malade.	**ce qui** Garde **ce qui** te plaît.
Complément du verbe	construction directe	**que** verbe + qqch ou qqn : demander un livre. Voilà le livre **que** tu m'as demandé.	**ce que** J'ai passé des vacances tranquilles à la montagne : exactement **ce que** je voulais. (= Je voulais passer des vacances tranquilles.) **Ce que** je fais en ce moment est ennuyeux.
	construction avec de	**dont** – nom 1 + de + nom 2 : le nom des personnes Les personnes **dont** le nom commence par A doivent se présenter au guichet n° 1. – verbe + de : s'occuper de Ce sont des dossiers **dont** il faut s'occuper immédiatement.	**ce dont** Je fais tout **ce dont** il ne veut pas s'occuper. (= toutes les choses dont il ne veut pas s'occuper).
	construction avec à	**à qui**[1] verbe + à qqn : téléphoner à Jean Jean **à qui** j'ai téléphoné hier refuse le poste de directeur. **auquel, auxquels** **à laquelle, auxquelles** verbe + à qqch : avoir droit à un poste On ne veut pas me donner le poste **auquel** j'ai droit.	**ce à quoi** Ils réclament **ce à quoi** ils ont droit. (= les choses auxquelles ils ont droit).

Complément du verbe (suite)	construction avec autre préposition	prép. + **qui**[1] verbe + prép. + qqn : **jouer avec Jean** *Jean est la seule personne* **avec qui** *j'accepte de jouer au tennis.* prép. + **lequel, lesquels**[2] **laquelle, lesquelles**[2, 3] verbe + prép. + qqch : réagir **contre** une mesure *C'est une mesure injuste* **contre laquelle** *l'ensemble du personnel doit réagir.*	**ce** + prép. + **quoi** *On veut supprimer la cafétéria :* **ce contre quoi** *ils réagissent violemment.* *(= ils réagissent violemment contre la suppression de la cafétéria).*
Complément de lieu		**où** *Remets le dictionnaire* **où** *tu l'as trouvé !*	
Complément de temps		*C'est la période* **où** *tout le monde pense aux vacances.*	
Complément d'une **locution prépositionnelle** + **de**		**duquel, desquels de laquelle, desquelles** locution prépositionnelle + **de** + quelque chose *Il a eu un accident* **à la suite duquel** *il s'est peu à peu paralysé.* *Attention, il y a une date* **au-delà de laquelle** *vous ne pourrez plus vous inscrire.* *Les six mois* **au cours desquels** *vous n'avez pas travaillé ont eu un effet désastreux sur les ventes.* *On leur demande d'acquérir des connaissances* **à propos desquelles** *il y aurait beaucoup à dire !*	

(1) Les pronoms relatifs **à qui** et autre préposition que *à* ou *de* + **qui** sont fréquemment remplacés respectivement :

– par **auquel, auxquels, à laquelle, auxquelles**
Je n'ai jamais revu l'étudiante à laquelle j'avais prêté plusieurs livres.

– et par préposition autre que *à* ou *de* + **lequel, lesquels, laquelle, lesquelles**
C'est un professeur **avec lequel** *le dialogue est impossible.*
Ainsi le système tend à se simplifier en éliminant la distinction entre *quelqu'un* et *quelque chose* comme cela est déjà réalisé pour **dont**.

(2) Lorsque la préposition est *parmi*, **parmi lesquels** ou **parmi lesquelles** peuvent être remplacés par **dont** :
Le directeur nous a fait toutes sortes de promesses **parmi**

lesquelles une meilleure ré-partition des responsabilités/ *Le directeur nous a fait toutes sortes de promesses dont une meilleure répartition des responsabilités.*

(3) *Lequel, lesquels, laquelle, lesquelles* peuvent être utilisés à la place du pro-nom sujet *qui* ; il s'agit d'un procédé d'insistance mettant en valeur le nom que

le pronom relatif remplace :

Il m'a dit de m'adresser à madame Dunois, laquelle me dit qu'elle ne s'occupe pas de ce genre d'affaire !

Remarques :

1. Le pronom relatif accompagne souvent un pronom :
– pronom personnel complément : moi qui... lui qui..., etc. ;
– pronom démonstratif : celui qui (cf. p. 37) ;
– pronom possessif : le mien qui..., etc. ;
– pronom indéfini : quelqu'un qui...

2. L'emploi des pronoms relatifs dans la tournure présentative « c'est... » est présenté pp. 229 et 230.

3. Il existe différents moyens de remplacer le pronom relatif **qui** : se référer aux **Manipulations de la phrase** p. 234.

TABLEAU DES CORRESPONDANCES
VERBES ←——→ PRONOMS

	pronoms personnels compléments	pronoms relatifs compléments
construction directe		
① VOIR — qqn	me, m', nous te, t', vous + VB le, la, l', les en (partitif)	que
VOIR — qqch	le, la, l', les en (partitif) + VB	que / ce que[1]

	pronoms personnels compléments	pronoms relatifs compléments
verbe + préposition à		
② PARLER À qqn (1 seul type de compl.)	me, m', nous te, t', vous + VB lui, leur	à qui
③ PENSER À — qqn	VB + à moi, à nous à toi, à vous à lui, à eux à elle, à elles	à qui
PENSER À — qqch (2 types de compl.)	y + VB	auquel auxquels ⦙ ce à quoi[1] à laquelle ⦙ auxquelles ⦙
④ S'INTÉRESSER À — qqn (VB pronominal)	VB + à moi, à nous à toi, à vous à lui, à eux à elle, à elles	à qui
S'INTÉRESSER À — qqch (2 types de compl.)	y + VB	auquel auxquels ⦙ ce à quoi à laquelle ⦙ auxquelles ⦙
⑤ VB + À/EN/DANS	y + VB SUR/SOUS + lieu	où
⑥ CONSTRUCTION INFINITIVE ▪ renoncer à partir ▪ pousser (qqn) à lire ▪ s'habituer à vivre seul	y renoncer (l') y pousser s'y habituer	une chose ⦙ ce à quoi à laquelle ⦙

(1) *Se reporter au tableau des pronoms relatifs pages 48 et 49 et au paragraphe sur La reprise page 233*

	pronoms personnels compléments		pronoms relatifs compléments
verbe + préposition de			
⑦ PARLER DE — qqn	VB +	de moi, de nous de toi, de vous de lui, d'eux d'elle, d'elles	**dont**
↘ qqch (2 types de compl.)	**en** + VB		**dont / ce dont**[1]
⑧ S'OCCUPER DE — qqn (VB pronominal)	VB +	de moi, de nous de toi, de vous de lui, d'eux d'elle, d'elles	**dont / ce dont**[1]
↘ qqch (2 types de compl.)	**en** + VB		
⑨ **VB + DE + lieu**	**en** + VB		**d'où**
CONSTRUCTION INFINITIVE			
⑩ décider de partir	**le** décider		**une chose que/ce que**
⑪ demander (à qqn) de partir	**le** (lui) demander		**une chose que/ce que**
⑫ avoir envie de partir	**en** avoir envie		**une chose dont/ce dont**
⑬ charger (qqn) de	(l') **en** charger		**une chose dont/ce dont**
⑭ se plaindre (à qqn) de	s'**en** plaindre		**une chose dont/ce dont**

	pronoms personnels compléments		pronoms relatifs compléments
verbe + autres prépositions			
⑮ JOUER AVEC — qqn	VB + prép. +	**moi, nous toi, vous lui, eux elle, elles**	**prép. + qui**
↘ qqch	qqch		**prép. + lequel lesquels laquelle, lesquelles** **ce + prép. + quoi**

(1) *Se reporter au tableau des pronoms relatifs pages 48 et 49 et au paragraphe sur* **La reprise** *page 233*

COMMENTAIRES

DU TABLEAU DES CORRESPONDANCES
VERBES-PRONOMS

La présentation des pronoms relatifs et personnels compléments, dans les deux chapitres précédents, montre que leur forme est déterminée par les caractéristiques de la construction verbale.

Le *Tableau des correspondances verbes-pronoms* pp. 51 et 52 présente 15 cas numérotés. Cette numérotation est utilisée dans le *Dictionnaire des verbes* pp. 59 à 82 afin d'indiquer, en se reportant au *Tableau des correspondances verbes-pronoms,* la liste des pronoms utilisables.

Exemple du verbe *donner* tel qu'il est présenté dans le *Dictionnaire des verbes :*
donner : 1 (qqch), **2** (qqn)

En se référant au *Tableau des correspondances verbes-pronoms,* on a sous les yeux les formes des pronoms possibles :

1 →	(même construction que *voir*)	→ qqn →	me, m', nous te, t', vous le, la, l', les	**que**

2 →	(même construction que *parler à*)	→ qqn →	me, m', nous te, t', vous lui, leur	**à qui**

Le Dictionnaire des verbes apporte des informations supplémentaires sur des constructions qui ne donnent pas lieu à une pronominalisation : celles-ci sont présentées pp. 57 et 58.

LECTURE DU TABLEAU : DEUX EXEMPLES

– 1er cas : Accepter

1 →	accepter quelqu'un	→	me, m', nous te, t', vous le, la, l', les	**que**

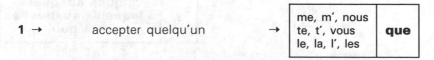

On accepte les enfants s'ils ont plus de dix ans.
  *On **les** accepte s'ils ont plus de dix ans.*
  *Les enfants **que** nous acceptons doivent avoir plus de dix ans.*

1 → accepter quelque chose → | le, la, l' les | **que/ce que** |

Ils n'ont pas accepté ma proposition.

> *Ils ne **l'**ont pas acceptée.*
> *J'ai fait une proposition **qu'**ils n'ont pas acceptée.*
> *J'ai proposé de partir ; **ce qu'**ils n'ont pas accepté.*

7 → accepter quelque chose de quelqu'un → | de moi, de nous de toi, de vous de lui, d'eux d'elle, d'elles | **dont** |

Il n'accepte aucun conseil de son père.

> *Il n'accepte aucun conseil **de lui.***
> *Son père n'est pas la personne **dont** il accepte les conseils !*

10 → accepter de + infinitif → | le, l' | **une chose que ce que** |

Je n'accepte pas d'être traité comme ça !

> *Être traité comme ça, je ne **l'**accepte pas !*
> *(ou : Être traité comme ça, je n'accepte pas !)*
> *Être traité comme ça, c'est **une chose que** je n'accepte pas !*
> *Être traité comme ça, voilà **ce que** je n'accepte pas !*

– 2ᵉ cas : S'intéresser

3 → s'intéresser à quelqu'un → | à moi, à nous à toi, à vous à lui, à eux à elle, à elles | **à qui** |

Il ne s'intéresse pas à ses étudiants.

> *Il ne s'intéresse pas **à eux.***
> *Il y a des étudiants **à qui** il ne s'intéresse pas.*

Remarque : **à qui** est souvent remplacé aujourd'hui dans le français courant par **auquel, auxquels, à laquelle, auxquelles.**

3 → s'intéresser à quelque chose → | y | **auquel, auxquels à laquelle, auxquelles ce à quoi** |

Elle s'intéresse beaucoup à cette question.

> *Elle s'**y** intéresse beaucoup.*
> *C'est une question **à laquelle** elle s'intéresse beaucoup.*
> *Elle participe à une enquête sur la vie dans les grands ensembles : **ce à quoi** elle s'intéresse beaucoup.*

EMPLOI DES PRONOMS PERSONNELS COMPLÉMENTS

Le *Tableau des correspondances verbes-pronoms* met en évidence les différents facteurs qui interviennent dans le choix des pronoms :

1. La forme des pronoms dépend de la construction verbale :

a. Construction directe

voir le responsable → *le voir*
voir un film par semaine → *en voir un par semaine*

b. Construction indirecte avec

à : parler à Pierre → *lui parler*

de : parler de Pierre → *parler de lui*

autre préposition : parler avec Pierre → *parler avec lui*

c. Construction infinitive avec

à : renoncer à partir → *y renoncer*

de : avoir envie de partir → *en avoir envie*

Remarque : La construction infinitive directe qui est fréquente se pronominalise rarement :

Je souhaite rester ici → *je le souhaite*

Dans la plupart des cas, la pronominalisation n'est pas possible : préférer partir, pouvoir répondre, savoir conduire, etc.

2. La forme des pronoms varie selon que le complément est :

a. Quelqu'un

penser à Pierre → *penser à lui*
s'occuper de Pierre → *s'occuper de lui*

b. Quelque chose

penser aux vacances → *y penser*
s'occuper des vacances → *s'en occuper*

Remarque : Dans l'expression familière, on note souvent l'utilisation de **en** à la place de **de lui, d'eux, d'elle(s)** (cas 7 et 8 du **Tableau des correspondances verbes-pronoms**) :

Vous ne parlez jamais de votre collaboratrice, vous en êtes satisfait ?

et, parfois, dans un style d'expression relâché, on peut entendre **y** à la place de **lui** (cas 2 du Tableau)

Il est venu me voir, j'y ai tout expliqué..

ou à la place de **à lui, à elle** (cas 3 et 4 du Tableau)

Cet enfant, on s'y est attaché comme s'il était notre propre fils.

Deux hypothèses sont possibles : **y** serait une réduction phonétique de **lui** mais dans le cas **on s'y est attaché** il y a à la fois passage de **lui** à **y** et changement de place du pronom (on s'est attaché **à lui**) ; il s'agit plutôt d'une tendance à la simplification du système des pronoms compléments observée pour **en** (exemple ci-dessus) et pour les pronoms relatifs (cf. page 49, note 1).

COMMENTAIRE DE QUELQUES CAS

1. Cas ① : Voir qqch → *les pronoms de remplacement sont le, la, l', les ou en selon que la notion de partitif/quantitatif est manifestée ou non :*

> *Tu as l'argent ?* → *Tu l'as ?*
> *Tu as de l'argent ?* → *Tu en as ?*
> *Tu as assez d'argent ?* → *Tu en as assez ?*

2. Cas ② et ③ : *La construction verbe + qqn fait apparaître deux séries de pronoms personnels compléments dont les formes et la place par rapport au verbe varient :*

a. La première série (cas ②) vaut pour les verbes exprimant une action qui établit un rapport obligatoire entre le sujet et le complément :

parler à quelqu'un
obéir à quelqu'un
dire quelque chose à quelqu'un
faire mal à quelqu'un
offrir quelque chose à quelqu'un
rendre visite à quelqu'un
apprendre quelque chose à quelqu'un

↓

| me, m', nous te, t', vous lui, leur | + *verbe* |

b. La deuxième série (cas ③) vaut pour les verbes exprimant une action « à sens unique » du sujet sur quelqu'un :

penser à quelqu'un
renoncer à quelqu'un
tenir à quelqu'un

↓

| *verbe* + | à moi, à nous à toi, à vous à lui, à eux à elle, à elles |

N.B. : Ces verbes sont beaucoup moins nombreux que ceux appartenant au cas ②.

Pour les cas ② et ③, la construction *verbe + à qqch* engendre l'utilisation du pronom *y :*

> *obéir à la loi* → *y obéir*
> *penser à son anniversaire* → *y penser*
> *participer à la réunion* → *y participer*

3. Cas ⑥ : *La construction* verbe + à + infinitif *engendre l'utilisation du pronom* y. *Mais la pronominalisation de l'infinitif n'est possible que si le verbe admet simultanément les deux constructions verbe + à* $\nearrow$ *qqch* $\searrow$ *infinitif*

> *renoncer à un achat* → **y** *renoncer*
> *renoncer à partir* → **y** *renoncer*

⚠ alors que l'infinitif ne se pronominalise pas dans :

> *continuer à lire*
> *trouver à se garer*

car *continuer à qqch, *trouver à qqch sont des constructions impossibles en français.

N.B. : La construction **verbe + à + infinitif** non pronominalisable est signalée dans le *Dictionnaire des verbes* par : à + inf.

4. Cas ⑩ ⑪ ⑫ ⑬ ⑭ : *La construction* verbe + de + infinitif *devrait engendrer la pronominalisation avec le pronom* en *exclusivement. Or la pronominalisation se fait tantôt avec* le, *tantôt avec* en ; *le critère de la double construction permet de comprendre ce phénomène :*

a. La pronominalisation se fait avec le quand le verbe admet simultanément la double construction verbe $\nearrow$ qqch $\searrow$ de + inf.

cas ⑩ : accepter $\nearrow$ qqch $\searrow$ de + inf.

accepter la décision → *l'accepter*
accepter de partir → *l'accepter*

cas ⑪ : demander $\nearrow$ qqch (à qqn) $\searrow$ (à qqn) de + inf.

(lui) demander l'horaire → **le** *(lui) demander*
(lui) demander de partir → **le** *(lui) demander*

⚠ Mais il faut bien dire que la reprise de l'infinitif par *le* ne s'impose pas. Exemple :

Accepteriez-vous de changer de poste ?
_ *Non, je n'accepterais pas.*

b. La pronominalisation de l'infinitif se fait avec en quand le verbe admet la double construction

verbe ↗ de qqch
     ↘ de + inf.

cas (12) : avoir envie ↗ de qqch
                           ↘ de + inf.

avoir envie d'un manteau en cuir → *en avoir envie*
avoir envie de partir → *en avoir envie*

cas (13) : charger (qqn) ↗ de qqch
                          ↘ de + inf.

charger (qqn) des contacts avec la presse
→ *(l') en charger*
charger (qqn) d'apporter les journaux
→ *(l') en charger*

cas (14) : se plaindre (à qqn) ↗ de qqch
                             ↘ de + inf.
se plaindre du bruit → *s'en plaindre*
se plaindre d'avoir trop de travail → *s'en plaindre*

⚠ Mais, dans la construction **verbe** + **de** + **infinitif**, la pronominalisation n'est pas toujours possible (ni avec **le** ni avec **en**) : c'est le cas pour :

    avoir tort de s'inquiéter
    cesser de fumer
    essayer de traverser
    choisir de se taire

Car *avoir tort de qqch, *cesser de qqch, *essayer de qqch, *choisir de qqch sont des constructions impossibles en français.

La construction infinitive non pronominalisable est signalée par : de + inf. dans le **Dictionnaire des verbes.**

DICTIONNAIRE DES VERBES

Le *Dictionnaire des verbes* qui suit apporte des informations sur la (ou les) construction(s) des verbes retenus, c'est-à-dire sur les éléments dépendants du verbe et qui le suivent immédiatement. Les cas sont présentés de la manière suivante :

1. *Pour* la construction zéro, *le verbe est présenté seul :*

ex. **ralentir, voyager, exister**

Cela signifie que le verbe n'est jamais suivi d'un complément d'objet direct ou indirect, ni d'une construction infinitive, ni d'une construction complétive ; toutefois, il peut être suivi d'un adverbe *(voyager souvent)*, d'un circonstant *(voyager pour développer les ventes – voyager si les conditions sont bonnes)* ou de tout autre élément qui n'est pas dépendant du verbe considéré mais pourrait se trouver après n'importe quel verbe.

2. *Pour* la construction directe ou indirecte *donnant lieu à une pronominalisation, les indications sont présentées comme suit :*

consacrer : 1 (qqch), **2** (à qqn),

avoir l'intention : 11 (de + inf.)

s'occuper : 8 (de qqn, de qqch), **14** (de + inf.)

s'entendre bien/mal : 15 (avec qqn)

Les numéros renvoient au *Tableau des correspondances verbes-pronoms* qui indique directement la forme des pronoms personnels et relatifs compléments utilisables (cf. pp. 51 et 52).

N.B. : Le type de construction est systématiquement indiqué entre parenthèses de manière à faciliter la lecture du dictionnaire, d'une part, et à informer, d'autre part, l'utilisateur sur les différentes constructions possibles même s'il ne recherche pas les formes de pronoms adéquates.

3. *Pour* la construction infinitive *ne donnant pas lieu à une pronominalisation, l'indication est donnée sous la forme suivante :*

pouvoir : + inf.

avoir du mal : à + inf.

s'arrêter : de + inf.

4. *Pour* la construction complétive *(verbe ou expression verbale + que), l'indication est fournie à la suite des autres constructions du verbe avec la mention ind. (indicatif) ou subj. (subjonctif) pour signaler le mode verbal de la phrase qui suit* que :

> **oublier :** **1** (qqch, qqn), **10** (de + inf.), que + ind.
> **exiger :** **1** (qqch), **7** (de qqn), **10** (de + inf.), que + subj.

Après un **verbe** + **à**, la complétive est introduite par **à ce que** :

> **être opposé :** **3** (à qqch), à ce que + subj.

⚠ Lorsqu'un verbe admet à la fois la construction infinitive et la construction complétive :

– on utilise la construction infinitive si le sujet est le même pour les deux verbes :

> *Je préfère partir (**je** préfère/**je** pars).*
> *Il a envie de partir (**il** a envie/**il** part).*
> *On s'est engagé à partir (**on** s'est engagé/**on** part).*

– on utilise la construction complétive si les deux verbes ont un sujet différent :

> *__Je__ préfère qu'__il__ parte.*
> *__Il__ a envie que __je__ parte.*
> *__On__ s'engage à ce que __le courrier__ parte par avion.*

Mais, avec certains verbes, les deux constructions (complétive et infinitive) sont possibles même si le sujet est identique avant et après que :

> *J'espère **que je** pourrai venir.*
> ou
> *J'espère pouvoir venir.*
>
> *__Pierre__ est persuadé **qu'il** a raison.*
> ou
> *Pierre est persuadé d'avoir raison.*
>
> *Alors, **vous** prétendez **que vous** n'avez rien entendu !*
> ou
> *Alors, vous prétendez ne rien avoir entendu !*

On remarque que, dans ces cas, le verbe de la complétive est à l'indicatif.
Quand le verbe de la complétive est au subjonctif, il est impossible d'avoir le même sujet pour les deux verbes. On ne dira pas :

> **J'ai obtenu que je poursuive l'expérience.*
> mais
> *J'ai obtenu de poursuivre l'expérience.*

Je refuse que j'y aille.
mais
Je refuse d'y aller.

Je déteste que je prenne le métro.
mais
Je déteste prendre le métro.

Avec d'autres verbes, du type *dire de faire quelque chose,* on utilise la construction infinitive même si le sujet est différent pour les deux verbes :

Je lui ai dit d'apporter des preuves !
Il m'a ordonné(e) de partir.

On remarque la présence, dans cette construction, du pronom complément *(je lui ai dit, il m'a ordonné)* qui indique la personne qui doit faire l'action exprimée par le verbe à l'infinitif *(il doit apporter des preuves, je dois partir).*

⚠ La pronominalisation de la complétive se fait avec

– le **quand le verbe précédent admet une construction directe :**

Est-ce que tu penses que nous obtiendrons ces crédits ?
(penser qqch)
– Je le pense fermement.

– y **quand le verbe précédent se construit avec la préposition** à :

Est-ce que tu t'opposerais à ce qu'il partage ton bureau ?
(s'opposer à qqch)
– Je m'y opposerais catégoriquement !

– en **quand le verbe précédent se construit avec la préposition** de :

Est-ce que tu es sûr qu'il va démissionner ?
(être sûr de qqch)
– J'en suis tout à fait sûr.

5. Les combinaisons de construction *sont indiquées de la manière suivante :*

dire : 1 (qqch),
2 (à qqn), **7** (de qqn, de qqch),
11 (de + inf.), que + ind.
combinaisons :
1 (qqch) – **2** (à qqn)
2 (à qqn) – **11** (de + inf.)
2 (à qqn) – que + ind.
7 (de qqn) – que + ind.
7 (de qqch) – que + ind.

En dehors de ces informations concernant les différents cas de pronominalisation, les constructions infinitives non pronominalisables et la construction complétive, le *Dictionnaire des verbes* fait apparaître :

– la forme pronominale :

apercevoir : 1 (qqn, qqch)
s'apercevoir : 7 (de qqch), que + ind.

– la forme impersonnelle :

être indispensable : 2 à (qqn)
(impers.) **il est indispensable :**
de + inf., que + subj.

– la forme être + participe passé **équivalente à** être + adjectif **transformable, dans certains cas, en** ça + pronom + verbe + de/que :

embêter : 1 (qqn)
être embêté : de + inf.,
que + subj.
ça embête : 1 (qqn), de + inf.,
que + subj.

– la construction interrogative indirecte, est mentionnée, dans le *Dictionnaire des verbes,* par : const. int. indirecte :

savoir : 1 (qqch), + inf., que + ind.
savoir + const. int. indirecte : si,
ce qui, ce que, quand, comment,
pourquoi, etc. (cf. pp. 89 et 90).

ce qui signifie que l'on peut former diverses phrases en se conformant aux règles de correspondance entre l'interrogation directe et l'interrogation indirecte (cf. pp. 89 et 90) :

Je ne sais pas si c'est utile.
J'aimerais savoir pourquoi vous vous énervez.
Je ne sais pas ce qui se passe.
Je ne sais pas à quoi il pense.
etc.

– les emplois d'un même verbe avec des sens différents sont également signalés :

tirer : 1 (qqn, qqch)
tirer (avec une arme) :
15 (sur qqn), sur qqch

DICTIONNAIRE DES VERBES

Abréviations

qqn : quelqu'un ; **qqch** : quelque chose ; **ind.** : indicatif ; **inf.** : infinitif ; **subj.** : subjonctif ; **ind./subj.** : indicatif ou subjonctif ; **aff.** : verbe à la forme affirmative ; **nég.** : verbe à la forme négative ; **impers.** : construction impersonnelle ; **const. int. indirecte** : construction interrogative indirecte.

A

abandonner : 1 (qqn, qqch)
aborder : 1 (qqn, qqch)
aboutir : 5 (lieu)
absorber : 1 (qqch), qqch – **1** (qqn)
s'abstenir : 14 (de + inf.)
abuser : 7 (de qqn, de qqch)
accéder : 3 (à qqch), **5** (lieu)
   avoir accès : **3** (à qqch)
accepter : 1 (qqn, qqch),
   7 (de qqn), **10** (de + inf.),
   que + subj.
   combinaisons :
   1 (qqch) – **7** (de qqn)
   7 (de qqn) – que + subj.
accorder : 1 (qqch), **2** (à qqn)
accrocher : 1 (qqch), **5** (lieu)
   s'accrocher : **3** (à qqn, à qqch)
accroître : 1 (qqch)
   s'accroître de + quantitatif
accueillir : 1 (qqn, qqch), **5** (lieu)
accumuler : 1 (qqch)
accuser : 1 (qqn, qqch),
   13 (de + inf.)
   combinaison :
   1 (qqn) – **13** (de + inf.)
acheminer : 1 (qqch), vers un lieu
   s'acheminer : vers un lieu
acheter : 1 (qqch), **2** (à qqn)
achever : 1 (qqch), de + inf.
acquérir : 1 (qqch)
actionner : 1 (qqch)
adapter : 1 (qqch)
   s'adapter : **4** (à qqn, à qqch)
admettre : 1 (qqch = accepter
   l'idée), **1** (qqn = accepter sa
   présence)
   7 (de qqn), **10** (de + inf.),
   que + ind. (aff.),
   que + subj. (nég.)
   combinaisons :
   1 (qqch) – **7** (de qqn)
   7 (de qqn) – que + subj.

(impers.) il est inadmissible :
   de + inf., que + subj.
administrer : 1 (qqch)
admirer : 1 (qqn, qqch), de + inf.
   combinaison :
   1 (qqn) – de + inf.
   (impers.) il est admirable :
   de + inf., que + subj.
adopter : 1 (qqn, qqch)
adorer : 1 (qqn, qqch), + inf.,
   que + subj.
adresser : 1 (qqn, qqch), **2** (à qqn)
   combinaisons :
   1 (qqch) – **2** (à qqn)
   1 (qqn) – **3** (à qqn)
   s'adresser : **4** (à qqn)
affirmer : 1 (qqch), **2** (à qqn),
   que + ind.
   combinaisons :
   1 (qqch) – **2** (à qqn)
   2 (à qqn) – que + ind.
affoler : 1 (qqn)
   être affolé : de + inf.,
   que + subj.
   ça affole : **1** (qqn), de + inf.,
   que + subj.
   (impers.) il est affolant :
   de + inf., que + subj.
   s'affoler
agacer : 1 (qqn),
   ça agace : **1** (qqn), de + inf.,
   que + subj.
   (impers.) il est agaçant :
   de + inf., que + subj.
aggraver : 1 (qqch)
   s'aggraver
agir
   s'agir (il s'agit) : de + inf.,
   que + subj.
agiter : 1 (qqch)
   s'agiter
aider : 1 (qqn), **6** (à + inf.)

aimer : 1 (qqn, qqch), + inf.,
que + subj.
ajouter : 1 (qqn, qqch), 3 (à qqch),
que + ind.
combinaison :
1 (qqch) – 3 (à qqch)
alléger : 1 (qqn, qqch), 7 (de qqch)
combinaison :
1 (qqn) – 7 (de qqch)
ça allège : 1 (qqn), de + inf.,
que + subj.
aller : 5 (lieu), + inf.
s'en aller (= partir)
allonger : 1 (qqn = mettre
en position couchée),
1 (qqch = mettre à plat,
rendre plus long)
s'allonger
alourdir : 1 (qqch)
ça alourdit : 1 (qqn)
s'alourdir
améliorer : 1 (qqch)
s'améliorer
aménager : 1 (qqch)
amener : 1 (qqn), 5 (lieu), + inf.
(= pour + inf.)
6 (à + inf. = inciter qqn
à faire qqch)
combinaisons :
1 (qqn) – 5 (lieu)
1 (qqn) – + inf.
1 (qqn) – 6 (à + inf.)
être amené – 6 (à + inf.)
amorcer : 1 (qqch)
amuser : 1 (qqn)
ça amuse : 1 (qqn), de + inf.,
que + subj.
(impers.) il est amusant :
de + inf.
s'amuser
amplifier : 1 (qqch)
s'amplifier
analyser : 1 (qqch)
animer : 1 (qqch)
s'animer
annoncer : 1 (qqn, qqch), 2 (à qqn),
que + ind.
combinaisons :
1 (qqch) – 2 (à qqn)
2 (à qqn) – que + ind.
s'annoncer
apercevoir : 1 (qqn, qqch)
s'apercevoir : 7 (de qqch),
que + ind.
appeler : 1 (qqn)
s'appeler
apposer : 1 (qqch), sur qqch
apprécier : 1 (qqn, qqch),
de + inf., que + subj.

(impers.) il est appréciable :
de + inf., que + subj.
apprendre : 1 (qqch), 2 (à qqn),
que + ind.
combinaisons :
1 (qqch) – 2 (à qqn)
2 (à qqn) – que + ind.
approcher : 1 (qqch = rendre
plus proche)
1 (qqn = contacter),
7 (de qqn, de qqch)
combinaison :
1 (qqch) – 7 (de qqn)
s'approcher :
8 (de qqn, de qqch)
approvisionner : 1 (qqn, qqch),
1 (qqn) en qqch,
s'approvisionner (en qqch)
appuyer : 1 (qqn = soutenir qqn),
sur qqch (= presser sur qqch)
s'appuyer : 15 (sur qqn),
sur qqch
arranger :
1 (qqn = faciliter la vie à qqn),
1 (qqch = réparer),
ça arrange : 1 (qqn), de + inf.,
que + subj.
s'arranger : pour + inf.,
pour que + subj.
arrêter : 1 (qqn, qqch), de + inf.
s'arrêter : de + inf., 5 (lieu),
4 (à qqch = prendre qqch
en considération)
arriver : 5 (lieu), 9 (lieu), 2 (à qqn)
combinaison :
qqch arrive – 2 (à qqn)
(impers.) il arrive : 2 (à qqn),
de + inf., que + subj.
combinaisons :
2 (à qqn) – de + inf.
il arrive que + subj.
arroser : 1 (qqn, qqch)
asphyxier : 1 (qqn)
s'asphyxier
asseoir : 1 (qqn)
s'asseoir : 5 (lieu),
15 (sur qqn, sur qqch)
assister : 3 (à qqch)
assumer : 1 (qqch)
assurer : 1 (qqch), 2 (à qqn),
que + ind.
combinaisons :
1 (qqch) – 2 (à qqn)
2 (à qqn) – que + ind.
être assuré : 7 (de qqch),
de + inf., que + ind.
attacher : 1 (qqn, qqch), 5 (lieu)
être attaché (= aimer) :

3 (à qqn, à qqch),
à ce que + subj.
s'attacher : 4 (à qqn, à qqch),
à ce que + subj.
attaquer : 1 (qqn, qqch)
atteindre : 1 (qqn, qqch)
être atteint : **7** (de qqch)
attendre : 1 (qqn, qqch),
7 (de qqn, de qqch), de + inf.,
que + subj.
combinaisons :
attendre qqch – **7** (de qqn)
attendre qqch – **7** (de qqch)
7 (de qqn) – que + subj.
s'attendre : 4 (à qqch),
à ce que + subj.
atténuer : 1 (qqch)
s'atténuer
atterrir : 5 (lieu)
attester : 1 (qqch), que + ind.
attirer : 1 (qqn)
attraper : 1 (qqn, qqch)
attribuer : 1 (qqch), **2** (à qqn)
augmenter : 1 (qqch)
augmenter de + quantitatif
autoriser : 1 (qqn, qqch),
6 (à + inf.)
combinaison :
1 (qqn) – **6** (à + inf.)
avaler : 1 (qqch)
avancer : 1 (qqch)
avancer de + quantitatif
ça avance (= permet de gagner
du temps) : **1** (qqn), de + inf.,
que + subj.
avertir : 1 (qqn), **7** (de qqch),
de + inf., que + ind.
combinaisons :
1 (qqn) – **7** (de qqch)
1 (qqn) – de + inf.
1 (qqn) – que + ind.
avoir : 1 (qqch), à + inf.
(= devoir, être obligé de)
avoir l'air : 7 (de qqch),
12 (de + inf.)
avoir des aptitudes : pour qqch
**avoir l'avantage/
l'inconvénient :**
7 (de qqch), de + inf.
avoir beau : + inf.
avoir besoin : 7 (de qqn, de qqch),
12 (de + inf.)
avoir pour but : de + inf.
avoir la chance : de + inf.
avoir confiance : 15 (en qqn)
faire confiance : **2** (à qqn)
avoir des difficultés : à + inf.
avoir droit : 3 (à qqch)

avoir le droit : 12 (de + inf.)
avoir envie : 7 (de qqn, de qqch),
12 (de + inf.), que + subj.
avoir le goût : 7 (de qqch)
avoir l'impression :
12 (de + inf.), que + ind. (aff.),
que + ind./subj. (nég.)
avoir de l'influence : 15 (sur qqn)
avoir l'intention : 12 (de + inf.)
avoir intérêt : à + inf.,
à ce que + subj.
avoir de l'intérêt : pour qqch
avoir lieu :
a/en/dans/sur/sous + lieu
avoir mal : à/dans/sur/sous/
avoir du mal : à + inf.
avoir peur : 7 (de qqn, de qqch),
12 (de + inf.), que + subj.
avoir raison : de + inf.
avoir le sentiment :
12 (de + inf.), que + ind. (aff.),
que + ind./subj. (nég.)
avoir le sens : de qqch
avoir tendance : à + inf.
avoir tort : de + inf.
avouer : 1 (qqch), **2** (à qqn),
que + ind.
combinaisons :
1 (qqch) – **2** (à qqn)
2 (à qqn) – que + ind.

B

baigner : 1 (qqn, qqch)
se baigner : **5** (lieu)
baisser : 1 (qqch)
baisser de + quantitatif
(= diminuer)
se baisser
bâtir : 1 (qqch)
battre : 1 (qqn, qqch)
se battre : **15** (avec/contre qqn),
avec/contre qqch
bavarder : 15 (avec qqn)
bénéficier : 7 (de qqch)
blesser : 1 (qqn)
bloquer : 1 (qqch)
boire : 1 (qqch)
boucher : 1 (qqch)
bouillir
faire bouillir : **1** (qqch)
bouger : 1 (qqch)
faire bouger (= faire déplacer) :
1 (qqn)

bousculer : 1 (qqn)
bricoler
brûler : 1 (qqn, qqch)

C

cacher : 1 (qqn, qqch), **2** (à qqn),
5 (lieu), que + ind.
(= ne pas dire)
combinaisons :
1 (qqch) – **2** (à qqn)
1 (qqn, qqch) – **5** (lieu)
2 (à qqn) – que + ind.
se cacher
(= ne pas se montrer)
se cacher
(= ne pas vouloir considérer) :
1 (qqch), que + ind.
capter : 1 (qqch)
casser : 1 (qqch)
causer (= parler) : **2** (à qqn)
causer (= provoquer) : **1** (qqch),
2 (à qqn)
être la cause : 7 (de qqch)
célébrer : 1 (qqn, qqch)
cesser : 1 (qqch), de + inf.
changer : 1 (qqn, qqch),
7 (de qqch)
chanter : 1 (qqch), **2** (à qqn)
charger : 1 (qqn, qqch)
charger (= donner des
responsabilités) : **1** (qqn),
13 (de + inf.)
se charger :
7 (de qqn, de qqch),
14 (de + inf.)
chasser : 1 (qqch)
chasser (= faire partir) : **1** (qqn),
9 (lieu)
chauffer : 1 (qqch)
se chauffer
chercher : 1 (qqn, qqch), à + inf.
choisir : 1 (qqn, qqch), de + inf.
choquer : 1 (qqn)
être choqué : que + subj.
ça choque : 1 (qqn), de + inf.,
que + subj.
(impers.) **il est choquant :**
de + inf., que + subj.
circuler : 5 (lieu)
classer : 1 (qqn, qqch)
clouer : 1 (qqch)
coller : 1 (qqch)
coller : 1 (qqn = faire échouer)
(= échouer à un examen)

combattre : 1 (qqn, qqch)
combler : 1 (qqch = remplir),
1 (qqn = satisfaire)
ça comble : 1 (qqn), de + inf.,
que + subj.
commander : 1 (qqn, qqch),
2 (à qqn)
combinaison :
1 (qqch) – **2** (à qqn)
commencer : 1 (qqch), à/de + inf.
commettre : 1 (qqch)
communiquer : 1 (qqch),
2 (à qqn), **15** (avec qqn)
comparer : 1 (qqn, qqch),
3 (à qqn)
combinaison :
1 (qqn) – **3** (à qqn)
compenser : 1 (qqch), par qqch
compléter : 1 (qqch), avec qqch
composer : 1 (qqch)
être composé :
7 (de qqn, de qqch)
comprendre (= saisir le sens) :
1 (qqn, qqch),
que + ind. (aff.),
que + subj. (nég.)
comprendre (= partager
l'opinion) : **1** (qqn), que + subj.
comprendre (= inclure)
compter (= dénombrer) :
1 (qqn, qqch)
compter : + inf.
(= avoir l'intention de + inf.)
compter :
15 (sur qqn, qqch = s'appuyer
sur, faire confiance à),
que + subj.
rendre compte : 7 (de qqch)
se rendre compte
(= s'apercevoir) :
7 (de qqch), que + ind.
concentrer : 1 (qqch), sur qqch
se concentrer : sur qqch
concerner : 1 (qqn)
conclure : 1 (qqch),
15 (avec qqn), que + ind.
condamner : 1 (qqn, qqch), à qqch,
6 (à + inf.)
combinaison :
1 (qqn) – **6** (à + inf.)
condamner à + quantitatif
conduire : 1 (qqch = piloter),
1 (qqn = transporter dans
un véhicule, accompagner),
5 (lieu)
conduire (= inciter) : **1** (qqn),
6 (à + inf.)

confier : 1 (qqn, qqch), 2 (à qqn)
se confier : 4 (à qqn)
confirmer : 1 (qqch), que + ind.
confondre : 1 (qqn, qqch),
15 (avec qqn), avec qqch
connaître : 1 (qqn, qqch)
se connaître
consacrer : 1 (qqch),
2 (à qqn), à + inf.
combinaisons :
1 (qqch) – 2 (à qqn)
1 (qqch) – à + inf.
se consacrer : 4 (à qqn, à qqch)
conseiller : 1 (qqn, qqch),
2 (à qqn), 12 (de + inf.)
combinaisons :
1 (qqch) – 2 (à qqn)
2 (à qqn) – 12 (de + inf.)
consentir : 1 (qqch), 2 (à qqn),
6 (à + inf.), que + subj.
combinaison :
1 (qqch) – 2 (à qqn)
conserver : 1 (qqch)
considérer : 1 (qqch),
que + ind. (aff.),
que + ind./subj. (nég.)
considérer qqn/qqch comme...
avoir de la considération :
15 (pour qqn), pour qqch
consister : à + inf., en qqch
consommer : 1 (qqch)
constater : 1 (qqch), que + ind.
constituer : 1 (qqch)
construire : 1 (qqch), 2 (à qqn),
5 (lieu)
consulter : 1 (qqn, qqch)
contenter : 1 (qqn)
se contenter : 7 (de qqch),
14 (de + inf.)
contester : 1 (qqch)
(impers.) **il est contestable :**
de + inf., que + subj.
(impers.) **il est incontestable :**
que + ind.
continuer : 1 (qqch), à/de + inf.
contraindre : 1 (qqn), 6 (à + inf.)
être contraint : de + inf.
contribuer : 3 (à qqch), 6 (à + inf.)
contrôler :
1 (qqn, qqch), que + ind.
convaincre : 1 (qqn), 7 (de qqch),
13 (de + inf.), que + ind.
combinaisons :
1 (qqn) – 7 (de qqch)
1 (qqn) – 13 (de + inf.)

1 (qqn) – que + ind.
être convaincu : 7 (de qqch),
13 (de + inf.), que + ind. (aff.),
que + ind./subj. (nég.)
convenir : 2 (à qqn)
convenir (= se mettre
d'accord) : 7 (de qqch),
12 (de + inf.), que + ind. (aff.),
que + ind./subj. (nég.)
convoquer : 1 (qqn), 5 (lieu)
coordonner : 1 (qqch)
correspondre : 3 (à qqch)
correspondre (= échanger des
lettres) : 15 (avec qqn)
corriger : 1 (qqn, qqch)
coucher : 1 (qqn), 5 (lieu),
15 (avec qqn)
se coucher : 5 (lieu)
coudre : 1 (qqch)
couler
couper : 1 (qqch)
se couper : avec qqch
courir : 5 (lieu)
coûter : 2 (à qqn)
coûter cher,
coûter + quantitatif
couvrir : 1 (qqn, qqch)
être couvert, recouvert :
7 (de qqch)
craindre : 1 (qqn, qqch),
10 (de + inf.), que + subj.
créer : 1 (qqch)
creuser : 1 (qqch)
crier : 1 (qqch), 2 (à qqn),
11 (de + inf.), que + ind.
combinaisons :
1 (qqch) – 2 (à qqn)
2 (à qqn) – 11 (de + inf.)
2 (à qqn) – que + ind.
critiquer : 1 (qqn, qqch)
(impers.) **il est critiquable :**
de + inf.
croire : 1 (qqn, qqch), + inf.,
que + ind. (aff.),
que + ind./subj. (nég.)
croiser : 1 (qqn, qqch), 5 (lieu)
se croiser
croître
s'accroître
cueillir : 1 (qqch)
cuire : 1 (qqch)
faire cuire : 1 (qqch)
cultiver : 1 (qqch)
se cultiver (= acquérir une
culture personnelle)

D

danser : **1** (qqch)
dater : de + référence temporelle
débattre : **7** (de qqch)
déborder (= passer par-dessus les
  bords)
  être débordé (= ne pas pouvoir
  faire face)
déboucher : **1** (qqch = enlever le
  bouchon/qqch qui empêche
  l'écoulement)
  déboucher : sur qqch (= aboutir
  à qqch)
débrouiller : **1** (qqch)
  se débrouiller
débuter
décentraliser : **1** (qqch)
décerner : **1** (qqch), **2** (à qqn)
décider : **1** (qqch), **10** (de + inf.),
  que + ind.
  se décider : à + inf.
déchirer : **1** (qqch)
déclarer : **1** (qqch), **2** (à qqn),
  + inf., que + ind.
  combinaisons :
  1 (qqch) – **2** (à qqn)
  2 (à qqn) – que + ind.
  se déclarer + adjectif
décoller
déconseiller : **1** (qqch),
  2 (à qqn), **11** (de + inf.)
  combinaisons :
  1 (qqch) – **2** (à qqn)
  2 (à qqn) – de + inf.
  (impers.) il est déconseillé :
  de + inf.
décorer : **1** (qqn, qqch)
décourager : **1** (qqn), **7** (de qqch),
  13 (de + inf.)
  combinaisons :
  1 (qqn) – **7** (de qqch)
  1 (qqn) – **13** (de + inf.)
  se décourager
  (impers.) il est décourageant :
  de + inf.
déduire : **1** (qqch), **7** (de qqch),
  que + ind. (aff.),
  que + ind./subj. (nég.)
  combinaisons :
  7 (de qqch) – que + ind. (aff.),
  que + ind./subj. (nég.)
défendre : **1** (qqn, qqch), **2** (à qqn),
  11 (de + inf.), que + subj.
  combinaisons :
  1 (qqch) – **2** (à qqn)
  2 (à qqn) – **11** (de + inf.)

se défendre :
  15 (contre qqn), contre qqch
défiler
définir : **1** (qqch)
dégager : **1** (qqn, qqch),
  7 (de qqch)
déjeuner : **5** (lieu), **15** (avec qqn)
délivrer : **1** (qqn), **7** (de qqch)
demander : **1** (qqn, qqch),
  2 (à qqn), à + inf.,
  11 (de + inf.), que + subj.
  combinaisons :
  1 (qqch) – **2** (à qqn)
  2 (à qqn) – **11** (de + inf.)
  qqn demande à + inf.
  demander / se demander
  + constr. int. indirecte :
  si, ce qui, ce que, quand,
  comment, pourquoi, etc., (cf.
  pp. 89 et 90).
déménager
dépasser : **1** (qqn, qqch)
se dépêcher : de + inf.
dépendre : **7** (de qqn, de qqch)
  être dépendant :
  7 (de qqn, de qqch)
dépenser : **1** (qqch)
déplacer : **1** (qqn, qqch)
  se déplacer
déposer : **1** (qqn, qqch), **5** (lieu)
déranger : **1** (qqn, qqch)
  ça dérange : **1** (qqn), de + inf.,
  que + subj.
  se déranger (= se déplacer)
se dérouler : **5** (lieu)
descendre : **1** (qqch), **5** (lieu)
déshabiller : **1** (qqn)
  se déshabiller
désirer : **1** (qqch), + inf.,
  que + subj.
dessiner : **1** (qqch), **2** (à qqn)
destiner : **1** (qqch), **2** (à qqn)
  être destiné : **2** (à qqn),
  3 (à qqch)
  se destiner : **4** (à qqn, à qqch)
se détendre : **5** (lieu)
détester : **1** (qqn, qqch), + inf.,
  que + subj.
détruire : **1** (qqch)
développer : **1** (qqch)
  se développer
devenir : **1** (qqch), + adjectif
devoir : **1** (qqch), **2** (à qqn)
  devoir (= être obligé) : + inf.
  se devoir (= se sentir obligé) :
  de + inf.
diffuser : **1** (qqch), **2** (à qqn), **5** (lieu)

diminuer : 1 (qqch)
    diminuer de + quantitatif
dîner : 5 (lieu), **15** (avec qqn)
dire : 1 (qqch), **2** (à qqn), **7** (de qqn,
    de qqch), **11** (de + inf.), que
    + ind.
    combinaisons :
    1 (qqch) – **2** (à qqn)
    2 (à qqn) – **11** (de + inf.)
    2 (à qqn) – que + ind.
    7 (de qqn) – que + ind.
    7 (de qqch) – que + ind.
    se dire : 1 (qqch), que + ind.
    (impers.) il **se dit :** qqch, que
    + ind.
diriger : 1 (qqn, qqch), vers qqch
    se diriger : 15 (vers qqn, vers
    qqch), **5** (lieu)
discuter : 7 (de qqn, de qqch),
    15 (avec qqn)
disparaître
dispenser : 1 (qqn), **7** (de qqch),
    être dispensé : 7 (de qqch),
    12 (de + inf.)
disposer :
    1 (qqch = placer, arranger)
    disposer :
    7 (de qqn, de qqch = avoir à sa
    disposition, à son service)
    être disposé (= être prêt à,
    vouloir bien) ; **6** (à + inf.), à ce
    que + subj.
dissimuler : 1 (qqn, qqch)
    se dissimuler : 1 (qqch),
    que + ind.
distinguer : 1 (qqn, qqch)
    se distinguer :
    7 (de qqn, de qqch)
distraire : 1 (qqn), **7** (de qqch)
    se distraire
distribuer : 1 (qqch), **2** (à qqn)
se documenter : sur qqch
donner : 1 (qqch), **2** (à qqn)
    donner lieu : 3 (à qqch)
dormir : 5 (lieu)
doubler : 1 (qqn, qqch)
droguer : 1 (qqn)
    se droguer

E

écarter : 1 (qqn, qqch),
    7 (de qqn, de qqch)
    combinaisons :
    1 (qqn) – **7** (de qqch)
    1 (qqn) – **7** (de qqn)
    écarter l'idée : que + ind.
échanger : 1 (qqn, qqch),
    15 (avec/contre qqn),
    avec/contre qqch
échapper : 2 (à qqn), **3** (à qqch)
échouer : à qqch
    s'échouer (un bateau) : sur
    qqch
éclairer : 1 (qqch),
    éclairer (= fournir des
    informations) **: 1** (qqn sur qqch)
éclater
écouter : 1 (qqn, qqch), + inf.
écraser : 1 (qqn, qqch)
    se faire écraser
écrire : 1 (qqch), **2** (à qqn),
    11 (de + inf.), que + ind.
    combinaisons :
    1 (qqch) – **2** (à qqn)
    2 (à qqn) – **11** (de + inf.)
    2 (à qqn) – que + ind.
éditer : 1 (qqch)
effacer : 1 (qqch)
    s'effacer
    s'effacer (= se mettre au second
    plan) **: 15** (devant qqn)
effectuer : 1 (qqch)
effrayer : 1 (qqn)
    être effrayé : de + inf.,
    que + subj.
    ça effraie : 1 (qqn), de + inf.,
    que + subj.
    (impers.) il **est effrayant :**
    de + inf., que + subj.
égarer : 1 (qqch)
    s'égarer
élargir : 1 (qqch)
    élargir de + quantitatif
élever : 1 (qqn = éduquer)
    élever (= rendre plus
    important) **:**
    1 (qqch) de + quantitatif
    s'élever à + quantitatif
éliminer : 1 (qqn, qqch)
éloigner : 1 (qqn, qqch),
    7 (de qqn, de qqch)
    combinaisons :
    1 (qqn) – **7** (de qqch)
    1 (qqch) – **7** (de qqn)
embaucher : 1 (qqn)

embêter : **1** (qqn)
    être embêté : de + inf., que +
    subj.
    ça embête : **1** (qqn), de + inf.,
    que + subj.
    s'embêter : à + inf.
    (impers.) **il est embêtant** :
    de + inf., que + subj.
embrasser : **1** (qqn)
emmener : **1** (qqn), **5** (lieu)
émouvoir : **1** (qqn)
    être ému : de + inf., que +
    subj.
    ça émeut : **1** (qqn),
    de + inf., que + subj.
    (impers.) **il est émouvant** :
    de + inf., que + subj.
    s'émouvoir : **7** (de qqch), de ce
    que + subj.
empêcher : **1** (qqn, qqch),
    13 (de + inf.), que + subj.
    combinaison :
    1 (qqn) – **13** (de + inf.)
employer : **1** (qqn, qqch),
    6 (à + inf.)
    combinaison :
    1 (qqn) – **6** (à + inf.)
emporter : **1** (qqch)
    l'emporter (= gagner,
    triompher) : sur qqch
emprunter : **1** (qqch), **2** (à qqn)
encourager : **1** (qqn), **6** (à + inf.)
    (impers.) **il est encourageant** :
    de + inf., que + subj.
endormir : **1** (qqn)
    s'endormir
énerver : **1** (qqn)
    ça énerve : **1** (qqn), de + inf.,
    que + subj.
    (impers.) **il est énervant** :
    de + inf., que + subj.
    s'énerver
enfiler (un vêtement) : **1** (qqch)
engager : **1** (qqn, qqch)
    s'engager : **5** (lieu)
    s'engager (= promettre) :
    6 (à + inf.)
enlever : **1** (qqn, qqch), **2** (à qqn)
ennuyer : **1** (qqn)
    être ennuyé : de + inf.,
    que + subj.
    ça ennuie : **1** (qqn), de + inf.,
    que + subj.
    (impers.) **il est ennuyeux** :
    de + inf., que + subj.
    s'ennuyer
enregistrer : **1** (qqch)
enrichir : **1** (qqn, qqch)
    s'enrichir

enseigner : **1** (qqch), **2** (à qqn),
    que + ind.
    combinaisons :
    1 (qqch) – **2** (à qqn)
    2 (à qqn) – que + ind.
entasser : qqch, sur qqch
entendre : **1** (qqn, qqch), + inf.
    entendre dire : **1** (qqch), que +
    ind.
    s'entendre bien/mal :
    15 (avec qqn)
entourer : **1** (qqn, qqch),
    7 (de qqch)
entrer : **5** (lieu)
entraîner : **1** (qqn, qqch)
    s'entraîner : **6** (à + inf.)
entreprendre : **1** (qqch)
envahir : **1** (qqch)
envelopper : **1** (qqn, qqch), dans
    qqch, **7** (de qqch)
envisager : **1** (qqch),
    10 (de + inf.), que + subj.,
    (impers.) **il est envisageable** :
    de + inf., que + subj.
envoyer : **1** (qqn, qqch),
    2 (à qqn), + inf., **5** (lieu)
    combinaisons :
    1 (qqch) – **2** (à qqn)
    1 (qqn) – + inf.
épanouir : **1** (qqn)
    s'épanouir
éplucher : **1** (qqch)
épouvanter : **1** (qqn)
    ça épouvante : **1** (qqn),
    de + inf., que + subj.
    (impers.) **il est épouvantable** :
    de + inf., que + subj.
éprouver (= ressentir) :
    1 (qqch), **15** (pour qqn)
    être éprouvant (= pénible,
    difficile à supporter)
    (impers.) **il est éprouvant** :
    de + inf.
épuiser : **1** (qqn, qqch)
    ça épuise : **1** (qqn), de + inf.,
    que + subj.
    (impers.) **il est épuisant** :
    de + inf., que + subj.
équilibrer : **1** (qqch)
équiper : **1** (qqn, qqch), **7** (de qqch)
espérer : **1** (qqch), + inf.,
    que + ind. (aff.),
    que + ind./subj. (nég.)
essayer : **1** (qqch), de + inf.
essuyer : **1** (qqn, qqch)
    s'essuyer
estimer : **1** (qqn, qqch),
    que + ind. (aff.),
    que + ind./subj. (nég.)

estimer à + quantitatif
établir : 1 (qqch), que + ind.
(impers.) **il est établi :**
que + ind.
étaler : 1 qqch, sur qqch
éteindre : 1 (qqch)
étendre : 1 (qqn, qqch)
s'étendre (= s'allonger) : sur
qqch
s'étendre (= donner beaucoup
d'explications) : sur qqch
étonner : 1 (qqn)
être étonné : 7 (de qqch),
12 (de + inf.), que + subj.
ça étonne : **1** (qqn), de + inf.,
que + subj.
(impers.) **il est étonnant :**
de + inf., que + subj.
s'étonner : **8** (de qqch),
14 (de + inf.), que + subj.
être
être à l'aise : 5 (lieu)
être capable : 7 (de qqch),
12 (de + inf.)
être certain : 7 (de qqch),
12 (de + ind.),
que + ind. (aff.),
que + ind./subj. (nég.)
être compatible : avec qqch
être content/mécontent :
7 (de qqn, de qqch),
12 (de + inf.), que + subj.
être d'accord :
15 (avec qqn), pour + inf.,
pour que + subj.
être difficile/facile :
à/de[1] + inf.
être dur : à/de[1] + inf.
être égal : 2 (à qqn), de + inf.,
que + subj.
être esclave : 7 (de qqch)
être facile/difficile :
à/de[1] + inf.
être fatigué : 7 (de qqch),
de + inf.
ça fatigue : **1** (qqn), de + inf.
(impers.) **il est fatigant :**
de + inf.
être favorable : 3 (à qqch)
être fier : 7 (de qqn, de qqch),
12 (de + inf.), que + subj.
être hostile : 2 (à qqn), **3** (à qqch)
être important : à/de + inf.
(cf. note 1)
ça importe : **2** (à qqn),
de + inf., que + subj.
(impers.) **il est important :**
de + inf., que + subj.

(impers.) **il importe :** de + inf.,
que + subj.
être indépendant : 7 (de qqch)
être indispensable : 2 à (qqn)
(impers.) **il est indispensable :**
de + inf., que + subj.
être invraisemblable/
vraisemblable
(impers.)
il est invraisemblable : que
+ subj
il est vraisemblable : que + ind.
être libre : 12 (de + inf.)
être mécontent/content :
7 (de qqn, de qqch),
12 (de + inf.), que + subj.
être nécessaire :
2 (à qqn), à qqch
(impers.) **il est nécessaire :**
de + inf., que + subj.
être normal/anormal
(impers.) **il est**
normal/anormal : de + inf.,
que + subj.
être opposé : 3 (à qqch),
à ce que + subj.
être possible/impossible :
à/de + inf. (cf. note 1)
(impers.) **il est**
possible/impossible : de + inf.,
que + subj.
être pressé : de + inf.,
que + subj.
être prêt : à + inf.
être probable
(impers.) **il est probable :**
que + ind.
être question, il est question
(impers.) :
7 (de qqn, de qqch),
12 (de + inf.), que + subj.
être rare
(impers.) **il est rare :** de + inf.,
que + subj.
être sensible : 3 (à qqch)
être sûr : 7 (de qqn, de qqch),
12 (de + inf.),
que + ind. (aff.),
que + ind./subj. (nég.)

---

(1) On utilise la préposition
• *à* si le sujet est personnel :
Cet exercice est facile *à* faire.
(= *Il* est facile à faire.)
• *de* si le sujet est impersonnel :
Il est facile *de* critiquer.
(*Il* ne peut pas être remplacé par un
autre pronom ou un nom.)

être temps, il est temps
  (impers.) : de + inf.,
  que + subj.
être unanime : à + inf.
être victime : 7 (de qqn, de qqch)
être vraisemblable
être invraisemblable
  (impers.) il est vraisemblable/
  invraisemblable : que + subj.
étudier : 1 (qqch)
évacuer : 1 (qqn)
éveiller : 1 (qqch)
  réveiller : 1 (qqn)
éviter : 1 (qqn, qqch), **2** (à qqn),
  11 (de + inf.), que + subj.
  combinaisons :
  1 (qqch) – **2** (à qqn)
  2 (à qqn) – **11** (de + inf.)
examiner : 1 (qqn, qqch)
excuser : 1 (qqn), **7** (de qqch)
  s'excuser : 7 (de qqch),
  14 (de + inf.)
exécuter : 1 (qqn = donner la
  mort), **1** (qqch = réaliser,
  faire)
exercer : 1 (qqch)
exiger : 1 (qqch), **7** (de qqn),
  10 (de + inf.), que + subj.
  combinaisons :
  1 (qqch) – **7** (de qqn)
  7 (de qqn) – que + subj.
exister
  (impers.)
  il existe : qqch
expédier : 1 (qqch), **2** (à qqn)
expliquer : 1 (qqch), **2** (à qqn),
  que + ind.
  combinaisons :
  1 (qqch) – **2** (à qqn)
  2 (à qqn) – que + ind.
exploiter : 1 (qqn, qqch)
exporter : 1 (qqch)
exprimer : 1 (qqch), **2** (à qqn)

F

fabriquer : 1 (qqch)
faciliter : 2 (à qqn)
faillir (au passé composé) : + inf.
faire : 1 (qqch), + inf., que/en sorte
  que + subj.
faire appel : 3 (à qqn)
faire attention : 3 (à qqn, à qqch),
  de ne pas + inf., que + subj.

faire confiance : 2 (à qqn)
faire mal : 2 (à qqn)
  faire du mal : 2 (à qqn)
faire partie : 7 (de qqch)
faire plaisir : 2 (à qqn)
faire la queue
faire du tort : 2 (à qqn)
falloir, il faut *(impers.) :* **1** (qqch),
  2 (à qqn), + inf., que + subj.
  falloir + durée : pour + inf.
familiariser : 1 (qqn), avec qqch
  se familiariser : avec qqch
féliciter : 1 (qqn), **7** (de qqch),
  13 (de + inf.)
  se féliciter : 7 (de qqch),
  14 (de + inf.), que + subj.
fermer : 1 (qqch)
fêter : 1 (qqch)
se fier : 4 (à qqn, à qqch)
finir : 1 (qqch), par qqch, par + inf.,
  de + inf.
fixer : 1 (qqch = attacher, maintenir)
  être fixé (= savoir à quoi s'en
  tenir) : sur qqch
flâner : 5 (lieu)
fleurir : 1 (qqch)
fonctionner : bien/mal
forcer : 1 (qqn, qqch), **6** (à + inf.)
  combinaison :
  1 (qqn) – **6** (à + inf.)
  être forcé : de + inf.
  se forcer : à + inf.
former : 1 (qqch = constituer),
  1 (qqn = lui apprendre qqch),
  3 (à qqch), à + inf.
  combinaisons :
  1 (qqn) – **3** (à qqch)
  1 (qqn) – à + inf.
  (impers.) il est formateur :
  de + inf.
formuler : 1 (qqch)
frapper : 1 (qqn, qqch = battre,
  donner des coups),
  1 (qqn = surprendre,
  impressionner)
  être frappé (= surpris) :
  de/par qqch, que + subj.
  ça frappe : 1 (qqn), que + subj.
  (impers.) il est frappant :
  de + inf.
freiner
fumer : 1 (qqch)

G

gagner : 1 (qqch)
    gagner (= tirer avantage) :
    6 (à + inf.), à ce que + subj.
garder : 1 (qqn, qqch)
garer : 1 (qqch), **5** (lieu)
    se garer : 5 (lieu)
gaspiller : 1 (qqch)
geler : 1 (qqch)
    (impers.) **il gèle**
gêner : 1 (qqn, qqch)
    être gêné : par qqch, de + inf.,
    que + subj.
    ça gêne : 1 (qqn), de + inf.,
    que + subj.
    (impers.) **il est gênant :**
    de + inf., que + subj.
généraliser : 1 (qqch)
    se généraliser
gérer : 1 (qqch)
gouverner : 1 (qqch)
grandir
    grandir de + quantitatif
griller : 1 (qqch)
grimper : 5 (lieu), sur qqch
grossir
    grossir de + quantitatif
guérir : 1 (qqn), **7** (de qqch)
guider : 1 (qqn)

H

habiller : 1 (qqn)
    s'habiller
habiter : 1 (qqch), **5** (lieu),
    15 (chez, avec qqn)
habituer : 1 (qqn), **3** (à qqch),
    6 (à + inf.)
    combinaisons :
    1 (qqn) – **3** (à qqch)
    1 (qqn) – **6** (à + inf.)
    s'habituer :
    3 (à qqch),
    6 (à + Inf.), à ce que + subj.
hésiter : devant qqch, à + inf.
heurter : 1 (qqn, qqch = bousculer,
    cogner)
    1 (qqn = offenser, choquer)

I

ignorer : 1 (qqn, qqch), que + subj.
    ignorer + const. int. indirecte :
    si, ce qui, ce que, quand
    comment, pourquoi, etc.,
    (cf. pp. 89 et 90).
imaginer : 1 (qqn, qqch), que + ind.
    (impers.) **il n'est pas**
    imaginable : de + inf.,
    que + subj.
imiter : 1 (qqn, qqch)
importer : 1 (qqch = acheter des
    produits à l'étranger)
    ça importe (= avoir de
    l'importance) : **2** (à qqn),
    de + inf. que + subj.
    (impers.)
    il importe/il est important :
    de + inf., que + subj.
    qqch est important : à + inf.
imposer : 1 (qqn, qqch),
    2 (à qqn), **11** (de + inf.)
    combinaisons :
    1 (qqch) – **2** (à qqn)
    2 (à qqn) – **11** (de + inf.)
    en imposer (= avoir un
    comportement qui intimide) :
    2 (à qqn)
imprimer : 1 (qqch), sur qqch
inaugurer : 1 (qqch)
inciter : 1 (qqn), **6** (à + inf.)
incomber : 2 (à qqn)
    (impers.) **il incombe : 2** (à qqn),
    de + inf.
    (impers.) **il en incombe :**
    2 (à qqn qqch)
indigner : 1 (qqn)
    être indigné : de/par qqch,
    que + subj.
    ça indigne : 1 (qqn), de + inf.,
    que + subj.
    s'indigner : 7 (de qqch),
    de ce que + subj.
indiquer : 1 (qqn, qqch), **2** (à qqn),
    que + ind.
    combinaisons :
    1 (qqn) – **2** (à qqn)
    1 (qqch) – **2** (à qqn)
    2 (à qqn) – que + ind.
    indiquer + const. int. indirecte :
    si, ce qui, ce que, quand,
    comment, pourquoi, etc., (cf.
    pp. 89 et 90).
infliger : 1 (qqch), **2** (à qqn)

informer : 1 (qqn), **7** (de qqch),
que + ind.
inquiéter : 1 (qqn)
être inquiet : de + inf.,
que + subj.
ça inquiète : 1 (qqn), de + inf.,
que + subj.
(impers.) il est inquiétant :
de + inf., que + subj.
s'inquiéter : **7** (de qqch),
de + inf., de ce que + subj.
inscrire : 1 (qqn), **3** (à qqch)
s'inscrire : **3** (à qqch)
insister : sur qqch,
pour que + subj.
installer : 1 (qqn, qqch), **5** (lieu)
s'installer : **5** (lieu)
interdire : 1 (qqch), **2** (à qqn),
11 (de + inf.), que + subj.
combinaisons :
1 (qqch) – **2** (à qqn)
2 (à qqn) – **11** (de + inf.)
(impers.) il est interdit :
de + inf.
intéresser : 1 (qqn),
3 (à qqn, à qqch)
être intéressant : à/de + inf.
(cf. note 1, page 71).
ça intéresse : 1 (qqn), de + inf.,
que + subj.
(impers.) il est intéressant :
de + inf., que + subj.
s'intéresser : **4** (à qqn, à qqch)
interroger : 1 (qqn), sur qqch
intervenir
interviewer : 1 (qqn), sur qqch
introduire : 1 (qqn, qqch),
15 (chez qqn)
s'introduire : **5** (lieu),
15 (chez qqn)
inventer : 1 (qqch)
investir : 1 (qqch), dans qqch
inviter : 1 (qqn), **6** (à + inf.)
être invité : **6** (à + inf.)

J

jeter : 1 (qqch), **2** (à qqn)
joindre : 1 (qqn = contacter),
1 (qqch = ajouter), **2** (à qqn)
combinaison :
1 (qqch) – **2** (qqn)
se joindre : **4** (à qqn)

jouer : 3 (à qqch), **7** (de qqch),
15 (avec qqn), avec qqch
juger : 1 (qqn, qqch)
juger + adjectif : de + inf.,
que + subj.
justifier : 1 (qqn, qqch)

L

laisser : 1 (qqn, qqch), **2** (à qqn),
+ inf.
lancer : 1 (qqch), **2** (à qqn)
se lancer : sur un chemin, une
route
laver : 1 (qqn, qqch)
se laver
lever : 1 (qqn, qqch)
se lever
libérer : 1 (qqn), **7** (de qqch)
licencier : 1 (qqn)
lier : 1 (qqch)
se lier : **15** (avec qqn)
limiter : 1 (qqn, qqch)
lire : 1 (qqch), **2** (à qqn), que + ind.
livrer : 1 (qqch)
se livrer (= dire ses
sentiments) : **4** (à qqn)
loger : 1 (qqn), **15** (chez qqn),
5 (lieu)
louer : 1 (qqch), **2** (à qqn)

M

maigrir
maigrir de + quantitatif
maintenir : 1 (qqn, qqch)
manger : 1 (qqch), **5** (lieu)
manifester : 1 (qqch)
se manifester (= signaler sa
présence)
manquer : 1 (qqn, qqch),
7 (de qqch)
marcher
marier :
1 (qqn = effectuer l'acte officiel)
se marier : **15** (avec qqn)
mécontenter : 1 (qqn)
se méfier : 7 (de qqn, de qqch)
être méfiant :
15 (à l'égard de qqn)

mélanger : 1 (qqch)
mêler : 1 (qqn), **3** (à qqch)
   se mêler (= s'occuper) :
   8 (de qqch)
menacer : 1 (qqn), **7** (de qqch),
   13 (de + inf.)
mener : 1 (qqch)
mentionner : 1 (qqch), **2** (à qqn),
   que + ind.
   mentionner + const. int.
   indirecte : si, ce qui, ce que,
   quand, pourquoi, comment, etc.
   (cf. pp. 89 et 90).
mentir : 2 (à qqn)
mériter : 1 (qqn, qqch),
   10 (de + inf.), que + subj.
mesurer : 1 (qqn, qqch)
   mesurer + quantitatif
mettre : 1 (qqch)
   mettre + durée : à + inf.
   se mettre (un vêtement) : **1** (qqch)
   se mettre (= commencer) :
   4 (à qqch), **6** (à + inf.)
   se mettre en colère :
   15 (contre qqn)
   mettre en danger : 1 (qqn)
modifier : 1 (qqch)
monopoliser : 1 (qqn, qqch)
monter : 1 (qqch), + inf.
montrer : 1 (qqn, qqch), **2** (à qqn),
   que + ind.
se moquer : 8 (de qqn, de qqch),
   14 (de + inf.), que + subj.
mordre : 1 (qqn, qqch), dans qqch
mouiller : 1 (qqn, qqch)
mourir : 5 (lieu)
multiplier : 1 (qqch)
   se multiplier
munir : 1 (qqn), **7** (de qqch)

N

nager : 5 (lieu)
naître : 5 (lieu)
nécessiter : qqch
   (impers.) il est nécessaire :
   de + inf., que + subj.
négliger : 1 (qqn, qqch),
   10 (de + inf.)
neiger/il neige *(impers.)*
nettoyer : 1 (qqch)
nier : 1 (qqch), + inf., que + ind.

noter : 1 (qqn = lui mettre une
   note), **1** (qqch = inscrire,
   remarquer), que + ind.
nourrir : 1 (qqn, qqch)
   se nourrir : 7 (de qqch)
nuire : 2 (à qqn)

O

obéir : 2 (à qqn), **3** (à qqch)
obliger : 1 (qqn), **6** (à + inf.)
   être obligé : de + inf.
observer : 1 (qqn, qqch),
   que + ind.
obtenir : 1 (qqch), **7** (de qqn),
   que + subj.
   combinaisons :
   1 (qqch) – **7** (de qqn)
   7 (de qqn) – que + subj.
occuper : 1 (qqn, qqch), à + inf.
   s'occuper : 8 (de qqn, de qqch),
   14 (de + inf.)
offrir : 1 (qqch), **2** (à qqn),
   11 (de + inf.)
ordonner : 1 (qqch), **2** (à qqn),
   11 (de + inf.), que + subj.
   combinaisons :
   1 (qqch) – **2** (à qqn)
   2 (à qqn) – **11** (de + inf.)
organiser : 1 (qqch)
orienter : 1 (qqn, qqch),
   15 (vers qqn), vers qqch
oublier : 1 (qqn, qqch),
   10 (de + inf.), que + ind.
ouvrir : 1 (qqch)
   s'ouvrir : 4 (à qqn = se confier),
   4 (à qqch = s'initier)
   ouvrir/s'ouvrir : sur qqch
   (= donner sur, avoir la vue sur)

P

paraître
   paraître + adjectif : **2** (à qqn),
   + inf
   (impers.) il paraît : que + ind.
   (impers.) il paraît + adjectif :
   de + inf., que + subj.

pardonner : 1 (qqch), **2** (à qqn),
11 (de + inf.), que + subj.
combinaisons :
1 (qqch) – **2** (à qqn)
2 (à qqn) – **11** (de + inf.)
parler : 1 (qqch), **2** (à qqn),
7 (de qqn, de qqch)
combinaisons :
2 (à qqn) – **7** (de qqch)
2 (à qqn) – **7** (de qqn)
partager : 1 (qqn, qqch),
15 (avec qqn), avec qqch
participer : 3 (à qqch)
partir : 5 (lieu), **9** (lieu)
passer : 1 (qqch)
passer (= aller/venir/s'arrêter) :
5 (lieu), par un endroit, + inf.
se passer (= arriver, avoir lieu)
(impers.) **il se passe** : qqch
parvenir : 3 (à qqch), **6** (à + inf.),
5 (lieu)
faire parvenir : 1 (qqch),
2 (à qqn)
passionner : 1 (qqn)
être passionné : 7 (de qqch),
par qqch
ça passionne : 1 (qqn),
de + inf., que + subj.
(impers.) **il est passionnant :**
de + inf.
se passionner : pour qqch
avoir une passion :
15 (pour qqn), pour qqch
payer : 1 (qqn, qqch), **2** (à qqn),
à + inf.
combinaisons :
1 (qqch) – **2** (à qqn)
1 (qqn) – à + inf.
peindre : 1 (qqn, qqch)
pencher : 1 (qqch = incliner)
pencher : 15 (pour qqn,
pour qqch = préférer)
se pencher (= s'incliner)
se pencher : sur qqch
(= porter un intérêt)
penser : 3 (à qqn, à qqch),
6 (à + inf.), que + ind. (aff.),
que + ind./subj. (nég.)
penser (= avoir l'intention de) :
+ inf.
perdre : 1 (qqn, qqch)
permettre : 1 (qqch), **2** (à qqn),
11 (de + inf.), que + subj.
combinaisons :
1 (qqch) – **2** (à qqn)
2 (à qqn) – **11** (de + inf.)
(impers.) **il est permis** : de + inf.

persuader : 1 (qqn), **7** (de qqch),
13 (de + inf.), que + ind.
combinaisons :
1 (qqn) – **7** (de qqch)
1 (qqn) – **13** (de + inf.)
être persuadé : 7 (de qqch),
12 (de + inf.), que + ind. (aff.),
que + ind./subj. (nég.).
peser : 1 (qqn, qqch)
peser + quantitatif
se peser
perturber : 1 (qqn, qqch)
ça perturbe : 1 (qqn), de + inf.,
que + subj.
(impers.) **il est perturbant :**
de + inf., que + subj.
photographier : 1 (qqn, qqch)
piquer : 1 (qqn), avec qqch
se piquer : avec qqch
placer : 1 (qqn, qqch), **5** (lieu)
plaindre : 1 (qqn), de + inf.
se plaindre : 4 (à qqn),
8 (de qqn, de qqch),
14 (de + inf.)
que + ind. (aff.),
que + subj. (nég.)
combinaisons :
8 (de qqch) – **4** (à qqn)
4 (à qqn) – **14** (de + inf.)
planter : 1 (qqch)
pleurer : 1 (qqn, qqch), sur (qqch)
pleuvoir/il pleut *(impers.)*
plier : 1 (qqch)
se plier (= se conformer) :
4 (à qqn, à qqch)
porter : 1 (qqn, qqch)
porter (= concerner) : sur qqch
se porter bien/mal
poser : 1 (qqch)
posséder : 1 (qqch)
poursuivre : 1 (qqch = continuer),
1 (qqn = courir après,
pourchasser, mettre entre les
mains de la justice)
être poursuivi (par la justice) :
pour qqch
pousser : 1 (qqn = bousculer),
1 (qqch = déplacer)
pousser (= inciter) : **1** (qqn),
6 (à + inf.)
pouvoir : + inf.
pratiquer : 1 (qqch)
préciser : 1 (qqch), **2** (à qqn),
que + ind.
combinaisons :
1 (qqch) – **2** (à qqn)
2 (à qqn) – que + ind.

préciser : + const. int. indirecte : si, ce qui, ce que, quand, comment, pourquoi, etc., (cf. pp. 89 et 90).
préférer : **1** (qqn, qqch), **3** (à qqn), + inf., que + subj.
combinaison :
1 (qqn) – **3** (à qqn)
(impers.) **il est préférable** : de + inf., que + subj.
prélever : **1** (qqch)
prendre : **1** (qqch), **2** (à qqn)
prendre conscience : **7** (de qqch)
se faire prendre (= être pris en infraction)
se préoccuper : **7** (de qqch)
préparer : **1** (qqn, qqch), **3** (à qqch), **6** (à + inf.)
se préparer : **4** (à qqch), **6** (à + inf.)
présenter : **1** (qqn, qqch), **2** (à qqn)
combinaisons :
1 (qqch) – **2** (à qqn)
1 (qqn) – **2** (à qqn)
presser :
1 (qqch = serrer, appuyer), **1** (qqn = le pousser à faire qqch), de + inf.
combinaison :
1 (qqn) – de + inf.
être pressé : de + inf., que + subj.
se presser : de + inf.
prétendre : **1** (qqch), + inf., que + ind. (aff.), que + ind./subj. (nég.)
prêter : **1** (qqch), **2** (à qqn)
prévenir : **1** (qqn), **7** (de qqch), **13** (de + inf.), que + ind.
combinaisons :
1 (qqn) – **7** (de qqch)
1 (qqn) – **13** (de + inf.)
1 (qqn) – que + ind.
prévoir : **1** (qqch), **10** (de + inf.), que + ind. (aff.), que + ind./subj. (nég.)
prier : **1** (qqn), **13** (de + inf.), pour que + subj.
combinaison :
1 (qqn) – **13** (de + inf.)
priver : **1** (qqn), **7** (de qqch)
privilégier : **1** (qqn, qqch)
procéder : **3** (à qqch)
procurer : **1** (qqch), **2** (à qqn)
se procurer : **1** (qqch)

produire : **1** (qqch)
(impers.) **il se produit** (= il arrive, il se passe) : qqch
profiter : **7** (de qqn, de qqch), que + ind.
promener : **1** (qqn, qqch), **5** (lieu)
se promener : **5** (lieu)
promettre : **1** (qqch), **2** (à qqn), **10** (de + inf.), que + ind. (aff.), que + ind./subj. (nég.)
combinaisons :
1 (qqch) – **2** (à qqn)
2 (à qqn) – **10** (de + inf.)
2 (à qqn) – que + ind.
proposer : **1** (qqch), **2** (à qqn), **11** (de + inf.), que + subj.
combinaisons :
1 (qqch) – **2** (à qqn)
2 (à qqn) – **11** (de + inf.)
se proposer : de + inf.
protéger : **1** (qqn, qqch), **7** (de qqch), contre qqch
se protéger : contre qqch
protester : **15** (contre qqn), contre qqch
provoquer :
1 (qqch = causer, donner lieu), **1** (qqn = pousser qqn à faire qqch, défier)
(impers.) **il est provoquant** : de + inf.
publier : **1** (qqch)
punir : **1** (qqn)

Q

quitter : **1** (qqn, qqch)

R

raconter : **1** (qqch), **2** (à qqn), que + ind.
ralentir
ramasser : **1** (qqch)
ramener : **1** (qqn), **5** (lieu), **9** (lieu)
ranger : **1** (qqch), **5** (lieu)
rappeler : **1** (qqn, qqch), **2** (à qqn), **11** (de + inf.), que + ind.
combinaisons :
1 (qqch) – **2** (qqn)
2 (à qqn) – **11** (de + inf.)
2 (à qqn) – que + ind.

se rappeler : 1 (qqn, qqch),
+ inf. passé, que + ind. (aff.),
que + ind/subj. (nég.)
rassembler : 1 (qqn, qqch)
se rassembler
rassurer : 1 (qqn), sur qqch
être rassuré : de + inf.,
que + subj.
ça rassure : **1** (qqn), de + inf.,
que + subj.
(impers.) il est rassurant :
de + inf., que + subj.
se rassurer : sur qqch
rater : 1 (qqn, qqch)
rattraper : 1 (qqn, qqch)
ravir : 1 (qqn)
être ravi : **7** (de qqch),
12 (de + inf.), que + subj.
réagir : à qqch, contre qqch
réaliser : 1 (qqch)
recevoir : 1 (qqn, qqch), **5** (lieu)
rechercher : 1 (qqn, qqch)
réclamer : 1 (qqn, qqch)
recommander : 1 (qqn, qqch),
2 (à qqn), **11** (de + inf.),
que + subj.
combinaisons :
1 (qqch) – **2** (à qqn),
2 (à qqn) – **11** (de + inf.)
(impers.) il est recommandé :
de + inf.
se recommander : **7** (de qqn)
recommencer : 1 (qqch),
à / de + inf.
récompenser : 1 (qqn),
7 (de qqch),
13 (de + inf.), pour qqch
combinaisons :
1 (qqn) – **7** (de qqch)
1 (qqn) – **13** (de + inf.)
reconnaître : 1 (qqn, qqch),
que + ind.
recourir : 3 (à qqn, à qqch)
avoir recours : **3** (à qqn, à qqch)
recouvrir : 1 (qqch), **7** (de qqch)
recruter : 1 (qqn)
reculer : 1 (qqch = déplacer vers
l'arrière)
reculer (= hésiter, renoncer) :
devant qqch
faire reculer : **1** (qqn)
récupérer : 1 (qqch = reprendre)
récupérer (= retrouver ses
forces)
réduire : 1 (qqch)
réduire de + quantitatif
être réduit (= ne pas pouvoir
faire autrement) : **6** (à + inf.)

réfléchir : 3 (à qqch)
refuser : 1 (qqn, qqch),
2 (à qqn), **11** (de + inf.),
que + subj.
combinaisons :
1 (qqch) – **2** (à qqn)
2 (à qqn) – **11** (de + inf.)
regarder : 1 (qqn, qqch)
regretter : 1 (qqn, qqch),
10 (de + inf.), que + subj.
rejoindre : 1 (qqn, qqch), **5** (lieu)
se réjouir : 7 (de qqch),
14 (de + inf.), que + subj.
(impers.) il est réjouissant :
de + inf.
relever : 1 (qqn), **1** (qqch = noter),
que + ind.
remarquer : 1 (qqn, qqch),
que + ind.
(impers.) il est remarquable :
de + inf., que + subj.
(impers.) il est à remarquer :
que + ind.
rembourser : 1 (qqch), **2** (à qqn)
remédier : 3 (à qqch)
remercier : 1 (qqn), **7** (de qqch),
13 (de + inf.), pour qqch
combinaisons :
1 (qqn) – **7** (de qqch), pour qqch
1 (qqn) – **13** (de + inf.)
remettre : 1 (qqch), **2** (à qqn)
remplacer : 1 (qqn, qqch)
remplir : 1 (qqch)
remporter : 1 (qqch)
remuer : 1 (qqch)
rencontrer : 1 (qqn, qqch)
rendre : 1 (qqch), **2** (à qqn)
rendre + adjectif : **1** (qqn)
se rendre + adjectif
se rendre (= aller) : **5** (lieu)
rendre compte : **7** (de qqch),
2 (à qqn)
se rendre compte : **7** (de qqch),
que + ind.
rendre (un/des) service(s) :
2 (à qqn)
rendre visite : **2** (à qqn)
renoncer : 3 (à qqn, à qqch),
6 (à + inf.)
renouveler : 1 (qqch)
rénover : 1 (qqch)
renseigner : 1 (qqn), sur qqch
se renseigner : sur qqch
prendre des renseignements :
15 (sur qqn)
rentrer : 1 (qqch), **5** (lieu), **9** (lieu)
renverser : 1 (qqn, qqch)

renvoyer : 1 (qqn, qqch),
2 (à qqn), 3 (à qqn, à qqch)
combinaisons :
1 (qqch) – 2 (à qqn)
1 (qqn) – 3 (à qqn, à qqch)
répandre : 1 (qqch),
15 (sur qqn), sur qqch
répandre le bruit/l'idée :
que + ind.
réparer : 1 (qqch)
répartir : 1 (qqch), 15 (entre qqn)
repasser : 1 (qqch)
répéter : 1 (qqch), 2 (à qqn), que
+ ind.
combinaisons :
1 (qqch) – 2 (à qqn)
2 (à qqn) – que + ind.
répondre : 1 (qqch), 2 (à qqn), que
+ ind.
combinaisons :
1 (qqch) – 2 (à qqn)
2 (à qqn) – que + ind.
reporter : 1 (qqch),
à + détermination temporelle
se reposer : 5 (lieu)
reprendre : 1 (qqch), 2 (à qqn)
représenter : 1 (qqn, qqch), 5 (lieu)
réprimer : 1 (qqch)
reprocher : 1 (qqch), 2 (à qqn),
11 (de + inf.)
combinaisons :
1 (qqch) – 2 (à qqn)
2 (à qqn) – 11 (de + inf.)
réserver : 1 (qqch) – 2 (à qqn)
être réservé : 3 (à qqch)
résider : 5 (lieu)
résoudre : 1 (qqch)
respecter : 1 (qqn, qqch)
(impers.) il est respectable :
de + inf.
respirer : 1 (qqch)
ressembler : 2 (à qqn), 3 (à qqch)
ressentir : 1 (qqch)
ressentir qqch comme + nom
ressortir/il ressort *(impers.)* :
7 (de qqch), que + ind.
rester : 5 (lieu)
rester + adjectif
(impers.) il reste : qqch, à + inf.,
que + ind.
restreindre : 1 (qqn), sur qqch
se restreindre : sur qqch
retarder : 1 (qqch)
retarder (= mettre en retard) :
1 (qqn)
ça retarde : 1 (qqn), de + inf.,
que + subj.

retourner : 1 (qqch)
retourner (= aller à nouveau) :
5 (lieu)
retrouver : 1 (qqn, qqch)
réunir : 1 (qqn, qqch)
réussir : 1 (qqch), 3 (à qqch),
à + inf.
révéler : 1 (qqch), 2 (à qqn),
que + ind.
combinaisons :
1 (qqch) – 2 (à qqn)
2 (à qqn) – que + ind.
réveiller : 1 (qqn)
se réveiller
revenir : 5 (lieu), 9 (lieu)
rêver : 1 (qqch),
7 (de qqn, de qqch),
12 (de + inf.), que + ind./subj.
revêtir : 1 (qqch)
revêtir de l'importance
(= avoir de l'importance)
revivre : 1 (qqch)
rire : 7 (de qqn, de qqch)
risquer : 1 (qqch), de + inf.
(impers.) il risque : de + inf.
rompre : 1 (qqch), 15 (avec qqn)
rouler
rouvrir : 1 (qqch)

S

sacrifier : 1 (qqn, qqch), 2 (à qqn)
combinaison :
1 (qqch) – 2 (à qqn)
salir : 1 (qqn, qqch)
saluer : 1 (qqn)
satisfaire : 1 (qqn, qqch), 3 (à qqch)
être satisfait/insatisfait :
7 (de qqn, de qqch),
12 (de + inf.) que + subj.
ça satisfait : 1 (qqn), de + inf.,
que + subj.
(impers.) il est satisfaisant :
de + inf., que + subj.
avoir la satisfaction : de + inf.
se satisfaire : 7 (de qqch)
saturer : qqch
être saturé : 7 (de qqch)
sauter : 1 (qqch)
sauver : 1 (qqn, qqch), de + qqch.
se sauver (= partir en courant,
rapidement)
savoir : 1 (qqch), + inf.,
que + ind.

savoir + const. int. indirecte : si, ce qui, ce que, quand, comment, pourquoi, etc., (cf. pp. 89 et 90).

secourir : 1 (qqn)
porter secours : **2** (à qqn)

sécher : 1 (qqn, qqch)
se sécher

séjourner : 5 (lieu)

sélectionner : 1 (qqn, qqch)

sembler : + inf., + adjectif
qqch semble + adjectif :
2 (à qqn)
(impers.) il semble :
2 (à qqn), que + ind.
(impers.) il semble + adjectif :
2 (à qqn), de + inf., que + subj.

sensibiliser : 1 (qqn), **3** (à qqch)

sentir : 1 (qqch), que + ind.
sentir bon/mauvais
se sentir bien/mal, adjectif ou groupe prépositionnel.

séparer : 1 (qqn, qqch), **7** (de qqn)
se séparer : **7** (de qqn, de qqch)

serrer : 1 (qqn, qqch)

servir : 1 (qqn, qqch), **2** (à qqn), de + nom, à + inf.
combinaison :
1 (qqch) – **2** (à qqn)
se servir : **7** (de qqn, de qqch)

signaler : 1 (qqch),
2 (à qqn), que + ind.
combinaisons :
1 (qqch) – **2** (à qqn)
2 (à qqn) – que + ind.
signaler + const. int. indirecte : si, ce qui, quand, pourquoi, comment, etc., (cf. pp. 89 et 90).

signer : 1 (qqch)

situer : 1 (qqch), par rapport à qqch
se situer :
à/en/dans/sur/sous + lieu

soigner : 1 (qqn, qqch)
se soigner

sonner

sortir : 1 (qqn, qqch), **9** (lieu)

souffrir
souffrir (= supporter) :
1 (qqn, qqch)

souhaiter : 1 (qqch), + inf., que + subj.
(impers.) il est souhaitable :
de + inf., que + subj.

soulager : 1 (qqn)
être soulagé : de + inf., que + subj.
ça soulage : **1** (qqn), de + inf., que + subj.

souligner : 1 (qqch), que + ind.

soupçonner : 1 (qqn, qqch),
7 (de qqch), **13** (de + inf.)
combinaisons :
1 (qqn) – **7** (de qqch)
1 (qqn) – **13** (de + inf.)

sourire : 2 (à qqn), **7** (de qqch)

soutenir : 1 (qqn, qqch), que + ind.

se souvenir : 7 (de qqn, de qqch),
que + ind. (aff.),
que + ind./subj. (nég.)

se spécialiser : dans qqch
être spécialiste : de qqch

stimuler : 1 (qqn, qqch)
(impers.) il est stimulant :
de + inf.

succéder : 2 (à qqn)

suffire : 2 (à qqn), **3** (à qqch),
6 (à + inf.)
(impers.) il suffit : **2** (à qqn),
de + inf., que + subj.

suggérer : 1 (qqch), **2** (à qqn),
11 (de + inf.), que + subj.
combinaisons :
1 (qqch) – **2** (à qqn)
2 (à qqn) – **11** (de + inf.)

suivre : 1 (qqn, qqch)

supplier : 1 (qqn),
13 (de + inf.), – que + subj.
combinaison :
1 (qqn) – **13** (de + inf.)

supposer : 1 (qqch),
que + ind. (aff.),
que + ind./subj. (nég.)

supporter : 1 (qqn, qqch),
10 (de + inf.), que + subj.

supprimer : 1 (qqn, qqch)

surprendre : 1 (qqn)
être surpris : de/par qqch,
12 (de + inf.), que + subj.
(impers.) il est surprenant :
de + inf., que + subj.

sursauter

surveiller : 1 (qqn, qqch)

survivre : 2 (à qqn), **3** (à qqch)

susciter : 1 (qqch)

suspendre : 1(qqch = accrocher),
1 (qqn = arrêter ses activités)

T

tacher : 1 (qqn, qqch =
  faire une tache sur)
tâcher (= essayer) : de + inf.
se taire
taper : 1 (qqch)
  taper (= frapper, donner des
  coups) : 15 (sur qqn), sur qqch
tarder : à + inf.
téléphoner : 2 (à qqn)
tenir : 1 (qqn, qqch)
  tenir (= être attaché à) :
  3 (à qqn, à qqch)
  tenir (= vouloir) :
  6 (à + inf.), à ce que + subj.
  être tenu (= devoir) : de + inf.
  tenir compte :
  7 (de qqn, de qqch)
tendre (= donner) : 1 (qqch),
  2 (à qqn)
  tendre (= avoir tendance à) :
  à + inf.
tenter (= essayer) : 1 (qqch),
  10 (de + inf.)
  tenter (= éprouver, séduire) :
  1 (qqn)
terminer : 1 (qqch).
  se terminer
tirer : 1 (qqn, qqch = approcher
  vers soi)
  tirer (avec une arme) :
  15 (sur qqn), sur qqch
  tirer parti (= profiter) :
  7 (de qqch)
tolérer : 1 (qqn, qqch), 7 (de qqn),
  10 (de + inf.), que + subj.
  combinaisons :
  1 (qqch) – 7 (de qqn)
  7 (de qqn) – que + subj.
  être tolérant : 15 (envers qqn)
  (impers.). il est intolérable :
  de + inf., que + subj.
tomber
  tomber de + quantitatif
  (= diminuer, descendre)
  tomber (= renconrer par
  hasard) : 15 (sur qqn)
toucher : 1 (qqn, qqch),
  3 (à qqn, à qqch)
  toucher (= joindre, concerner) :
  1 (qqn, qqch)
  être touché (= ému) :
  de/par qqch, que + subj.
  ça touche : 1 (qqn), de + inf.,
  que + subj.

tourner : 1 (qqch),
  à droite/à gauche
  tourner (= devenir) : à qqch
  être tourné
  (= intéressé, concerné) :
  vers qqch
  se tourner :
  15 (vers qqn), vers qqch
traduire : 1 (qqch)
  se traduire (= se manifester) :
  par qqch
transporter : 1 (qqn, qqch)
travailler : 5 (lieu)
traverser : 1 (qqch)
tricher
trier : 1 (qqch)
tromper : 1 (qqn)
  se tromper
trouver : 1 (qqn, qqch), à + inf.,
  que + ind. (aff.),
  que + ind./subj. (nég.)
  trouver + adjectif :
  de + inf.,
  que + subj.
  se trouver : 5 (lieu), sans qqch
  se trouver + adjectif
tuer : 1 (qqn)
  se tuer

U

utiliser : 1 (qqn, qqch),
  à + inf.
  combinaison :
  1 (qqn) – à + inf.

V

valoir + quantitatif
  valoir : 1 (qqch)
valoir mieux / il vaut mieux
  (impers.) : + inf., que + subj.
vanter : 1 (qqn, qqch)
varier
  varier de + quantitatif
  faire varier : 1 (qqch)
véhiculer : 1 (qqn)
veiller : 1 (qqn),
  15 (sur qqn = surveiller),
  6 (à + inf.) à ce que + subj.

vendre : 1 (qqch), **2** (à qqn)
venir : + inf., **5** (lieu), **9** (lieu),
de + inf.
venir à bout : 7 (de qqch)
vérifier : 1 (qqch), que + ind.
verser : 1 (qqch), **2** (à qqn)
vider : 1 (qqch)
vieillir
vieillir de + quantitatif
viser : 1 (qqn, qqch)
visiter : 1 (qqch), **5** (lieu)
vivre : 5 (lieu), **7** (de qqch)

voir : 1 (qqn, qqch),
+ inf.,
que + ind. (aff.),
que + ind./subj. (nég.)
(impers.) **il est visible :**
que + ind.
voler : 1 (qqch), **2** (à qqn)
voter : 1 (qqch),
15 (pour qqn), pour qqch
vouloir : 1 (qqn, qqch), + inf.,
que + subj.
voyager

l'interrogation

L'INTERROGATION DIRECTE

Plusieurs formes sont possibles suivant le style d'expression : on distinguera :

– Le style courant/familier caractérisé par

• l'emploi de « est-ce que »

> *Est-ce que tu es prêt ?*

• la marque du simple point d'interrogation à l'écrit et l'intonation montante à l'oral

> *Tu es prêt ?*

– Le style soutenu caractérisé par l'inversion du sujet et du verbe

> *Es-tu prêt ?*

L'interrogation s'appuie sur des marques différenciées selon que celui qui s'exprime attend une réponse par *oui, si*[1], *non* ou attend une précision.

(1) On répond **oui** si la question est affirmative :
  – *Tu viens ? – Oui.*
On répond **si** si la question est négative :
  – *Tu ne viens pas ? – Si.*

1. *Si on attend une réponse par* oui, si, non, *les formes de l'interrogation sont les suivantes :*

style courant	*Vous venez avec nous ?* ***Est-ce que** vous venez avec nous ?*
style soutenu	*Venez-vous avec nous ?*

Remarque : Prononciation – dans le cas de l'inversion du sujet et du verbe (style soutenu d'expression), on prononce un [t] de liaison entre le verbe et les pronoms **il(s)** et **elle(s)** :

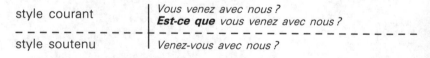

Est-il, viennent-elles, prend-il, vend-elle.

Si le verbe se termine par une voyelle, on place un -t- graphique entre le verbe et les pronoms **il** et **elle** : ce -t- est évidemment prononcé :

> *Partira-t-il, ira-t-elle, cherche-t-il, mange-t-elle.*

2. *Si on attend que la réponse apporte une précision, la phrase interrogative contient un mot interrogatif qui varie selon que*

a. L'interrogation porte sur la personne.

• Cas de la tournure présentative :

style courant	*C'est qui ?*
style soutenu	*Qui est-ce ?*

• Autres cas :

style courant	*Qui est-ce qui* me raccompagne chez moi ?
style soutenu	*Qui* me raccompagne chez moi ?

Remarque : **Qui** peut être précédé d'une préposition selon la construction du verbe :

Avec qui joues-tu ? (jouer avec quelqu'un)

De qui parlez-vous ? (parler de quelqu'un)

Pour qui cherche-t-elle un appartement ? (chercher un appartement pour quelqu'un).

b. L'interrogation porte sur l'objet.

S'il est indéterminé :

• Cas de la tournure présentative :

style courant	*C'est **quoi** ?* *Qu'est-ce que c'est ?*
style soutenu	*Qu'est-ce ?*

• Autres cas :

style courant	*Elle fait **quoi** ?* *Qu'est-ce qu'elle fait ?*
style soutenu	*Que fait-elle ?*

Remarque : Avec un verbe qui se construit avec une préposition, on utilise la **préposition + quoi.**

*penser **à** qqch*

style courant	*À quoi tu penses ?* *À quoi (est-ce-que) tu penses ?*
style soutenu	*À quoi penses-tu ?*

*parler **de** qqch*

style courant	*De quoi tu parles ?* *De quoi (est-ce-que) tu parles ?*
style soutenu	*De quoi parles-tu ?*

*jouer **avec** qqch*

style courant	*Avec quoi tu joues ?* *Avec quoi (est-ce-que) tu joues ?*
style soutenu	*Avec quoi joues-tu ?*

S'il est déterminé :

- Cas de la tournure présentative : *quel(s),*
quelle(s) + *nom :*

style courant	*C'est quel arrondissement ?* ***Quel** arrondissement **(est-ce que)** c'est ?*
style soutenu	***Quel** arrondissement **est-ce ?***

- Autres cas (cf. adjectifs interrogatifs p. 23) :

style courant	*Vous avez vu **quel** film ?* ***Quel** film **(est-ce-que)** vous avez vu ?*
style soutenu	***Quel** film avez-vous vu ?*

Remarque : Avec un verbe qui se construit avec une préposition, on utilise la **préposition** + **quel(s)** ou **quelle(s)**.

*s'inscrire **à** un cours*

style courant	*Tu t'es inscrit **à quel** cours ?* ***À quel** cours (est-ce-que) tu t'es inscrit ?*
style soutenu	***À quel** cours t'es-tu inscrit ?*

*voter **pour** qqn ou qqch*

style courant	*Vous votez **pour quelle** liste ?* ***Pour quelle** liste (est-ce-que) vous votez ?*
style soutenu	***Pour quelle** liste votez-vous ?*

c. L'interrogation porte sur les circonstances (temps, lieu, manière, cause,...) ; elle contient l'un des mots interrogatifs suivants :

_ **Où**

style courant	*Tu vas **où** ?* ***Où (est-ce que)** tu vas ?*
style soutenu	***Où** vas-tu ?*

_ **Comment**

style courant	*Vous vous appelez **comment** ?* ***Comment (est-ce que)** vous vous appelez ?*
style soutenu	***Comment** vous appelez-vous ?*

_ **Combien**

style courant	*Ils ont **combien** d'enfants ?* ***Combien d'enfants (est-ce qu')** ils ont ?*
style soutenu	***Combien** d'enfants ont-ils ?*

_ Pourquoi

style courant	_Vous faites ça **pourquoi ?**_ **_Pourquoi (est-ce que)_** _vous faites ça ?_
style soutenu	**_Pourquoi_** _faites-vous ça ?_

_ Quand

style courant	_Nous partons **quand ?**_ **_Quand (est-ce que)_** _nous partons ?_
style soutenu	**_Quand_** _partons-nous ?_

Important : Lorsque l'interrogation contient **_où, comment, combien, pourquoi, quand_** et si le sujet du verbe **_n'est pas un pronom mais un nom,_** trois cas peuvent se présenter :

style courant	1. l'ordre est _nom sujet + verbe._ **_L'accident s'est passé comment ?_** _Comment (est-ce-que)_ **_l'accident s'est passé ?_**
	2. l'ordre est _verbe + nom sujet._ _Comment_ **_s'est passé l'accident ?_**
style soutenu	3. l'ordre est _nom sujet + verbe + pronom il(s) ou elle(s)_ qui reprend le nom sujet. _Comment_ **_l'accident s'est-il passé ?_** _Pourquoi_ **_Béatrice a-t-elle été renvoyée ?_** _Quand_ **_les salaires seront-ils augmentés ?_**

---

d. L'interrogation porte sur un choix ; ce choix peut concerner quelqu'un ou quelque chose :

_ Lequel, lesquels, laquelle, lesquelles
(cf pronoms interrogatifs, pp. 41 et 42).

style courant	_Tu prends **lequel ?**_ **_Lequel (est-ce que)_** _tu prends ?_
style soutenu	**_Lequel_** _prends-tu ?_

Remarque : Avec un verbe qui se construit avec une préposition, on utilise la **préposition + lequel, lesquels, laquelle, lesquelles :**

*voter **pour** qqn (choix) ou qqch (choix)*

style courant	*Il y a deux listes. tu votes **pour laquelle***
	Pour laquelle (est-ce-que) tu votes ?
style soutenu	*Pour laquelle votes-tu ?*

Si la préposition est *à, les mots interrogatifs utilisés sont **auquel, auxquels, à laquelle, auxquelles :***

*s'intéresser **à** qqn (choix) ou qqch (choix)*

style courant	*Vous vous intéressez **auquel** ?*
	Auquel (est-ce-que) vous vous intéressez ?
style soutenu	*Auquel vous intéressez-vous ?*

Si la préposition est **de**, les mots interrogatifs utilisés sont ***duquel, desquels, de laquelle, desquelles :***

*parler **de** qqn (choix) ou qqch (choix)*

style courant	*On parle **duquel** maintenant ?*
	Duquel (est-ce-qu') on parle maintenant ?
style soutenu	*Duquel parle-t-on maintenant ?*

L'INTERROGATION INDIRECTE

Elle est introduite par des verbes comme **demander, se demander, dire, savoir, comprendre, voir, regarder,** etc.

Ce type de construction est indiqué, pour les verbes concernés, dans le *Dictionnaire des verbes* sous la mention **constr. int. indirecte.** La construction interrogative indirecte suppose certaines transformations par rapport à l'interrogation directe.

Interrogation directe :

> *Est-ce qu'il viendra ?*

Interrogation indirecte :

> *Je me demande **s'**il viendra.*

1. Les correspondances entre l'interrogation directe et l'interrogation indirecte sont données ci-dessous.

Tu es d'accord ? *Est-ce que tu es d'accord ?* *Es-tu d'accord ?*	*Dis-moi **si** tu es d'accord.*
Qu'est-ce qui est arrivé ? *Qu'est-il arrivé ?*	*Dis-moi **ce qui** est arrivé.*
Tu as mangé quoi ? *Qu'est-ce que tu as mangé ?* *Qu'as-tu mangé ?*	*Dis-moi **ce que** tu as mangé.*
Qui est-ce qui a pris le livre ? *Qui a pris le livre ?*	*Dis-moi **qui** a pris le livre.*
Vous allez où ? *Où (est-ce que) vous allez ?* *Où allez-vous ?*	*Dites-moi **où** vous allez.*
Vous faites comment ? *Comment (est-ce que) vous faites ?* *Comment faites-vous ?*	*Dites-moi **comment** vous faites.*
Il gagne combien ? *Combien (est-ce qu') il gagne ?* *Combien gagne-t-il ?*	*Dites-moi **combien** il gagne.*
Pourquoi (est-ce qu') il pleure ? *Pourquoi pleure-t-il ?*	*Dis-moi **pourquoi** il pleure ?*

Je pourrai te voir quand ? *Quand (est-ce que) je pourrai te voir ?* *Quand pourrai-je te voir ?*	*Dis-moi* **quand** *je pourrai te voir.*

Tu préfères quelle voiture ? *Quelle voiture (est-ce que) tu préfères ?* *Quelle voiture préfères-tu ?*	*Dis-moi* **quelle** *voiture tu préfères ?*

Tu préfères laquelle ? *Laquelle (est-ce que) tu préfères ?* *Laquelle préfères-tu ?*	*Dis-moi* **laquelle** *tu préfères.*

2. *Cas des mots interrogatifs précédés d'une préposition lorsque la construction verbale l'exige :*

– **À qui, de qui, pour qui, avec qui,** etc.

Il part avec qui ? *Avec qui (est-ce-qu') il part ?* *Avec qui part-il ?*	*Dis-moi* **avec qui** *il part.*

– **À quoi, de quoi, pour quoi, avec quoi,** etc.

Ça sert à quoi ? *À quoi (est-ce que) ça sert ?* *À quoi cela sert-il ?*	*Dites-moi* **à quoi** *ça/cela sert.*

– **À quel, de quel, pour quel, avec quel,** etc. (quel ou quels, quelle, quelles)

Vous parlez de quel professeur ? *De quel professeur (est-ce que)* *vous parlez ?* *De quel professeur parlez-vous ?*	*Dites-moi* **de quel** *professeur vous parlez.*

– **Lorsque l'interrogation porte sur un choix :**

• Si le verbe se construit avec la préposition *à*
→ **auquel, auxquels, à laquelle, auxquelles.**

Il y a plusieurs secrétaires. *Tu t'es adressé(e) à laquelle ?* *À laquelle (est-ce que) tu t'es adressé(e) ?* *À laquelle t'es-tu adressé(e)*	*Dis-moi* **à laquelle** *tu t'es* *adressé(e).*

• Si le verbe se construit avec la préposition *de :*
→ **duquel, desquels, de laquelle, desquelles.**

Il y a trois dossiers urgents. *Vous voulez vous occuper duquel ?* *Duquel (est-ce que) vous voulez vous occuper ?* *Duquel voulez-vous vous occuper ?*	*Dites-moi* **duquel** *vous* *voulez vous occuper.*

• Si le verbe se construit avec une préposition autre que *à* ou *de* :
→ **préposition + lequel, lesquels, laquelle, lesquelles.**

> *Il y a dix candidats. Il faut voter pour lequel ?*
> *Pour lequel (est-ce qu') il faut voter ?*   *Dis-moi **pour lequel** il faut voter.*
> *Pour lequel faut-il voter ?*

Remarque : Dans la construction interrogative indirecte, on respecte le schéma général de concordance des temps.

Verbe introducteur au présent	Verbe introducteur au passé
Je me demande si c'est vrai !	*Je me suis demandé(e) si c'était vrai !*
présent	**imparfait**

Pour l'ensemble des cas, se reporter à *La concordance des temps* page 163 (2).

la négation

LA NÉGATION DU VERBE SEUL

1. Marques.

Marques de la négation	Correspondances à la forme affirmative	Exemples
NE[1] ... PAS[2]		Il *ne* téléphonera *pas.*
NE ... PLUS[2]	toujours	*Tu fumes toujours autant ?* *_ Non, je **ne** fume **plus** du tout.*
	encore	*À son âge, il travaille encore ?* *_ Mais non, il **ne** travaille **plus** !*
NE ... JAMAIS	quelquefois	*Elle t'écrit quelquefois ?* *_ Non, elle **ne** m'écrit **jamais.***
	souvent	*Vous y allez souvent ?* *_ Non, nous **n'**y allons **jamais.***
	déjà[3]	*Vous êtes déjà venu ici ?* *_ Non, je **ne** suis **jamais** venu.*
NE ... GUÈRE	beaucoup	*Alors, vous avez beaucoup attendu ?* *_ Non, je **n'**ai **guère** attendu cette fois-ci.*
SANS + INFINITIF	en ... -ant	*Elle y arrive en étudiant nuit et jour.* *_ Moi, je suis le premier **sans étudier** !*

(1) *Ne* fait partie de la négation sauf avec *sans* (cf. exemple au bas du tableau). Obligatoire à l'écrit, le *ne* est très souvent supprimé dans l'expression orale courante. La négation ne repose alors que sur *pas, plus, jamais, guère :*

Il viendra **pas.**
C'est **jamais** *la même chose.*

Inversement, la négation peut être exprimée par *ne* seul, à l'écrit ou dans un français oral soutenu; cela n'est possible qu'après les verbes : *savoir, pouvoir, vouloir, cesser, oser :*

J'ai lu votre rapport mais je **n'**osais *vous en parler !*

Le directeur **ne** pourra *vous recevoir avant midi.*

Remarque : Il arrive que *ne* accompagne certaines tournures sans qu'il soit la marque de la négation :

– après des éléments grammaticaux comme *avant que, à moins que,*

Il faut l'avertir avant qu'il (**ne**) *parte.*

plus... que, moins... que, meilleur que, pire que, mieux que,

Tu gagnes **plus** *d'argent que je* (**ne**) *pensais.*
Le film est **meilleur** *qu'on* (**ne**) *l'a dit.*

- après certains verbes présentés à la forme affirmative : *craindre que* (et l'expression *de crainte que*), *avoir peur que* (et l'expression *de peur que*), *redouter que, trembler que, empêcher que, éviter que.*

Je crains qu'il (**ne**) *soit trop tard.*
Il faut éviter que le mécontentement (**ne**) *s'amplifie.*

(**2**) *Plus,* par rapport à *pas,* est employé pour exprimer l'interruption d'une action :

J'ai fumé pendant longtemps, maintenant je **ne** *fume* **plus.**

(**3**) *Déjà* s'oppose à *jamais* ou *pas encore* s'il est employé avec un verbe au passé composé ou au plus-que-parfait :

Tu as **déjà** *fini ?* – *Non,* **pas encore.**
Tu es **déjà** *allé en Chine ?* – *Non,* jamais.

Il s'oppose à *pas tout de suite* ou *pas maintenant* avec un verbe au présent :

Tu pars **déjà ?** – *Non,* **pas tout de suite.**

2. *Expression de la* restriction.

NE ... QUE : *On* **ne** *m'autorise* **qu'à** *écouter.*
SEULEMENT : *On m'autorise à écouter* **seulement.**

Remarques :
1. Dans la séquence **verbe + infinitif,** la restriction porte sur le verbe à l'infinitif.
2. Avec **seulement** le **ne** de négation est effacé.

3. *Reprise de la* négation.

moi, nous toi, vous lui, eux elle, elles	non plus	*Cette année, je ne pars pas en vacances.* – *Moi non plus.*

La reprise de la forme affirmative se fait avec **aussi**
Je pars bientôt en vacances.
– *Moi aussi, je pars dimanche prochain.*

4. *Place des marques de la négation :*

a. **Par rapport à un verbe à la forme simple :**

présent, imparfait, futur, conditionnel présent, subjonctif présent, participe présent, gérondif

Je **ne** ⌷*vais*⌷ **jamais** *à la piscine.*
Dommage qu'il **ne** ⌷*soit*⌷ **pas** *là !*
En **n'y** ⌷*allant*⌷ **plus,** *vous lui faites plaisir.*

b. Par rapport à un verbe à la forme composée de être ou avoir + participe passé :

passé composé, plus-que-parfait, futur antérieur, conditionnel passé, subjonctif passé, participe présent, gérondif

Ça n' [a] jamais [marché].

J'ai peur qu'il n' [ait] pas [compris].

Les prix n' [étant] plus [contrôlés], l'inflation va augmenter.

---

c. Par rapport à un verbe à l'infinitif :

– forme simple

*Je lui ai dit de **ne pas** [venir].*

***Ne plus** [fumer] : c'est la seule solution.*

*Il a promis de **ne jamais** [la quitter].*

– forme composée de **être** ou **avoir** à l'infinitif + participe passé

*Je regrette de **ne pas** [avoir accepté].*

(dans un style d'expression courant)

ou

*Je regrette de **n'** [avoir] **pas** [accepté] !*

(dans un style d'expression plus recherché).

LA NÉGATION
DU VERBE + NOM

1. Marques.

Marques de la négation	Correspondances à la forme affirmative	Exemples
NE...PAS DE	partitif[1]	*Tu veux du café ?* _ *Non, je **ne** bois **pas de** café.*
NE...PLUS DE	toujours	*Vous avez toujours des billets gratuits ?* _ *Non, je **n'**ai **plus de** billets gratuits.*
	encore	*Tu veux encore de la salade ?* _ *Non, je **ne** veux **plus de** salade.*
NE...JAMAIS DE	quelquefois	*Vous avez de ses nouvelles quelquefois ?* _ *Non, je **ne** reçois **jamais de** lettres !*
	souvent	*Vous aurez souvent des ennuis avec lui !* – *Mais non, je **n'**aurai **jamais d'**ennuis !*
	déjà	*Tu as déjà mangé des escargots ?* _ *Non, je **n'**ai **jamais** mangé **d'**escargots !*
NE...AUCUN(E)... AUCUN(E)...NE...	un, une, des	*Vous avez des idées, vous ?* _ *Non, je **n'**ai **aucune** idée intéressante.*
	certain(e)s	*Mais certains avions décolleront, non ?* _ *Non, **aucun** avion **ne** décollera demain.*
	quelques	*Vous avez eu quelques renseignements ?* _ *Non, je **n'**ai **aucun** renseignement.*
NE...NUL(LE)[2]	quelque	*Il doit bien être quelque part !* _ *J'ai cherché, il **n'**est **nulle** part !*
NE...NI...NI[3]...	articles	*Tiens, voilà du beurre et de la confiture.* _ *Mais je **ne** prends **ni** (du) beurre **ni** (de la) confiture.*
NE...GUÈRE	partitifs[1]	*Tu as du temps, en ce moment ?* _ *Non, je **n'**ai **guère de** temps.*
SANS...	avec	*Avec des glaçons, votre whisky ?* _ *Non, je le prends **sans** glaçons.*

(1) après une marque de la négation, le partitif (du, de la, de l', des) est réduit à *de :*

Tu veux de la bière ?
– Non merci, je ne bois **pas de** *bière.*

Il faut rappeler que les formes *du, de la, de l', des* qui apparaissent après un verbe construit avec la préposition *de* (s'occuper *de,* parler *de,* protéger *de,* etc.,) se maintiennent après une marque de la négation car il ne s'agit pas des formes du partitif (cf. explications p. 15) :

Je ne *m'occupe* **plus** de la *bibliothèque.*
Nous ne *parlons* **jamais** des *difficultés financières.*
Cela ne *vous protège* **guère** du *vent.*

(2) *ne...nul(le)* est employé de manière usuelle dans « nulle part », sinon il est employé comme équivalent de *aucun(e)*

dans un style d'expression recherché.
Je n'*ai* **nulle** *envie d'y aller.*

(3) *ne...ni...ni...* apparaît lorsque la négation porte sur deux éléments coordonnés :

Je n'ai **ni** *mangé* **ni** *dormi depuis deux jours.*

Mais on peut avoir également *pas* ou *sans* en remplacement du premier *ni :*

Je n'ai **pas** *mangé* **ni** *dormi depuis deux jours.*
Je suis resté **sans** *manger* **ni** *dormir pendant deux jours.*

Lorsque *ni* est suivi d'un nom, l'article peut être employé ou non :

Dans notre maison de campagne, il n'y a **ni** *(l')* eau **ni** *(l')* électricité pour l'instant.*

2. *Expression de la* restriction.

NE...QUE : *Je* **ne** *bois* **que** *de l'eau.*
SEULEMENT : *Je bois* **seulement** *de l'eau.*

Remarques :
1. Après **ne...que** et **seulement** le partitif est maintenu devant le nom.
2. Avec **seulement** le **ne** de négation est effacé.

LES PRONOMS NÉGATIFS

1. *Formes.*

Marques de la négation	Correspondances à la forme affirmative	Exemples
NE . . . RIEN[1] RIEN NE . . .	quelque chose	*Tu sais quelque chose, toi ?* – *Non, je **ne** sais **rien**.* *Est-ce que quelque chose lui plaît ?* – *Non, **rien ne** lui plaît.*
NE . . . PERSONNE[1] PERSONNE NE[2] . . .	quelqu'un	*Tu vois quelqu'un ?* – *Je **ne** vois **personne**.* *Quelqu'un s'en occupe ?* – *Non, **personne ne** s'en occupe.*
NE . . . AUCUN(E)[1] AUCUN(E) NE . . .	déterminant + nom	*Tu as lu ses romans ?* – *Je **n'**en ai lu **aucun**.* *Vos étudiants ont accepté ?* – *Non, **aucun n'a** accepté.*

(1) *Rien, personne, aucun* sont des pronoms négatifs : ils forment avec *ne* la négation complète ce qui interdit l'emploi de *pas* :

Il n'y avait personne.
*(et non : * Il n'y avait* pas personne.)*

Mais l'emploi de *plus, jamais* et *sans* est possible devant *personne* et *rien* :

Il n'y avait plus personne *quand la police est arrivée.*
Chez lui, il n'y a jamais rien *à manger !*
Il devait faire fortune ; il se retrouve sans rien !

Seuls *plus* et *jamais* peuvent précéder le pronom *aucun(e)* :

Il tient à ses livres, il n'en prête jamais aucun.

Quand *rien* ≠ *quelque chose, personne* ≠ *quelqu'un* et *aucun(e)* sont suivis d'un adjectif, d'un participe passé ou d'un adverbe, la construction se fait avec *de* ou *d'* :

Tu as trouvé quelque chose *d'intéressant ?*

– *Non, vraiment* rien *d'intéressant.*

Pour faire ce travail, il me faut quelqu'un de bien.
– *Tu n'auras* personne de *bien si tu offres un salaire si bas !*

Parmi eux, je n'en vois aucun de *capable !*

Remarque :
Cette construction de + adj., adv. ou participe passé apparaît également après *qu'est-ce que* :

Qu'est-ce que tu racontes de beau ?
Qu'est-ce qu'il y a de nouveau ?

et après *ce qu'il y a* :

Je ne vois pas ce qu'il y a d'inquiétant.
Il n'a pas vu tout de suite ce qu'il y avait de changé.

(2) *Personne ne...* peut être remplacé par *nul ne...* dans un nombre limité de phrases à valeur générale :

Nul ne *peut ignorer la loi.*

2. Place des pronoms négatifs.

a. Avec un verbe à la forme simple :

Je ne [vois] *rien.*

Il n' [y avait] **personne.**

On n' [en acceptera] **aucun.**

---

b. Avec un verbe à la forme composée :

– Cas de **rien** :

Il n' [a] *rien* [dit] .

– Cas de **personne** et **aucun(e)** :

Je pense qu'il n' [aura rencontré] **personne.**

Il m'a dit qu'il n' [en avait vu] **aucune.**

---

c. Avec un verbe suivi d'un infinitif :

– Cas de **rien** :

*Il vaut mieux **ne rien** [dire] .*

– Cas de **personne** et **aucun(e)** :

*Cette semaine, il **ne** [veut recevoir] **personne.***

*Je **n'** [ai pu en faire] **aucun.***

l'expression de la quantité

LES QUANTITATIFS

LES QUANTITATIFS LIÉS AU NOM

1. *Les partitifs* du, de la, de l', des *qui indiquent* une partie de...,
une certaine quantité de... :

> Tu achèteras *du* pain et *de la* viande.

La même notion se retrouve dans *la plupart, la majorité, le
pourcentage,* etc. (cf. liste p. 16) qui sont suivis de *du, de la, de
l', des*

> *La plupart des* gens sont contre ce projet.

2. *Les articles indéfinis* un, une, des :

> Il m'a offert *un* livre.
> (= 1 livre)
> Il m'a offert *des* livres.
> (= plusieurs livres)

3. *Les nombres :* un(e) demi, un(e), deux, trois, ..., cent, ..., mille, etc. :

> J'ai mangé *deux* sandwiches.
> Il y avait *dix mille* personnes.

Remarques :
1. **Cent** ne se met au pluriel que s'il est directement suivi du nom :

> Ça coûte deux *cents* francs.

Il reste au singulier s'il est suivi d'un autre nombre :

> Ça coûte deux *cent* cinquante francs.

2. Les nombres peuvent être précédés d'un déterminant :

> Il m'a rendu *les cinq cents* francs que je lui avais prêtés.
> Je garderai *ses trois* enfants au mois de juillet.

4. *Les expressions numériques suivies de la préposition* de +
nom : une dizaine de..., une centaine de ..., un millier de..., un million
de..., un milliard de...

> Vous avez le choix entre *une dizaine de* cours.

Remarque : L'approximation s'exprime par des éléments placés devant le nombre ou l'expression numérique
- **environ, approximativement, à peu près, près de**

  Ça coûte à peu près 250 francs.
- **plus de, moins de** (cf. p. 112)

  Il y avait plus d'un millier de personnes.
- **de... à, entre... et**

  Les salaires augmenteront de 4 à 6 p. 100 cette année.
  Il gagne entre 9 000 et 9 500 francs par mois.

L'évolution entre deux nombres s'exprime par **passer de... à...**

Le nombre des demandeurs d'emploi est passé de deux millions à deux millions et demi en trois ans.

5. Les expressions indéfinies :

a. Expressions employées directement devant le nom :

Celles qui sont invariables et toujours employées devant un nom au pluriel :

– **plusieurs**

J'ai lu plusieurs articles sur ce sujet.

– **quelques**

J'ai fait quelques achats.

Remarques :
1. **Quelques** peut être précédé d'un déterminant

J'ai perdu l'après-midi pour les quelques achats que j'avais à faire !
(= pour le petit nombre d'achats que j'avais à faire)

J'espère que ces quelques conseils vous aideront.
(= ce petit nombre de conseils)

2. Dans le phénomène de la reprise, **plusieurs** et **quelques** sont utilisés de la manière suivante :

De nombreux articles ont été publiés sur ce sujet. Plusieurs de ces articles (plusieurs d'entre eux) intéressent directement votre mémoire de recherche.

Il fait une enquête sur les femmes emprisonnées pour crime. Il a rencontré quelques-unes de ces femmes (il en a rencontré quelques-unes) et voici ce qu'il peut déjà nous dire.

Celles qui portent la marque du masculin, féminin, singulier ou pluriel en accord avec le nom qui suit :

– **certain(e)(s)**

Il faudra tout de même prendre certaines précautions.

Remarque : Comme **plusieurs** et **quelques**, **certain(e)(s)** dans la reprise se construit ainsi :

*Les idées ne manquent pas mais **certaines de ces** idées (certaines d'entre elles) sont totalement inapplicables !*

– de nombreux, de nombreuses

*J'ai relevé de **nombreuses** erreurs dans vos calculs.*

Remarques :
1. **Nombreux, nombreuses** peuvent être précédés d'un déterminant

*Je ne peux pas répondre **aux nombreuses** lettres que je reçois chaque jour.*
*Elle m'a parlé de **ses nombreux** ennuis !*

2. Dans le cas de la reprise **nombreux, nombreuses** → nombre de

*J'ai relevé des erreurs dans vos calculs. **Nombre de ces** erreurs sont dues à votre manière de présenter les données.*

– tout, tous, toute(s) + déterminant

*Vous ferez **tous les** exercices.*

---

b. Expressions employées avec de ou d' + nom :

– beaucoup de

*Il n'y a pas **beaucoup de** place, ici.*

– tant de

*On ne s'était pas vus depuis **tant d'**années !*

– tellement de

*J'ai **tellement de** travail en ce moment !*

– trop de

*Vous prenez **trop de** médicaments.*

– peu de

*Elle consacre **peu de** temps à sa famille.*

Remarque :
Peu de peut être précédé de **très, trop, si :**

*Nous avons **très peu de** loisirs,*
*Ces études offrent **trop peu de** débouchés pour que je continue,*
*Nous recevons **si peu de** journaux ici !*

– un peu de

*Je prendrais bien **un peu de** salade encore.*

– assez de

*Malheureusement, nous n'avons pas **assez** d'argent !*

- **plein(e) de**

*Tu as vu sa lettre ? Elle est **pleine de** fautes.*

- **plus de**
- **moins de**
- **autant de**   (cf. page 112)
- **de plus en plus de**
- **de moins en moins de**

- **un gramme de ..., un kilo de ...,
une tonne de ...,** etc.

*Je voudrais deux **kilos de** pommes.*

- **une cuillerée de..., un verre de..., un litre
de..., une pincée de..., une poignée de,...**

*Prenez **une cuillerée de** sirop matin et soir.*

- **un morceau de**

*Mange **un morceau de** viande, quand même !*

- **une portion de**

*On t'a gardé **une portion de** gâteau.*

- **une provision de**

*Tout est en solde ! J'ai fait **une provision de**
chemises !*

- **un reste de**

*Avec **un reste de** poulet, vous pouvez faire une
bonne salade.*

- **un tas de**

*J'ai **un tas de** choses à vous dire.*

- **une quantité de**

*Il m'a posé **une quantité de** questions.*

Cet élément peut s'employer avec un adjectif :

une grande quantité de = beaucoup de
une certaine quantité de = un peu de
une petite quantité de = peu de

Après le nom ou le verbe, on utilise l'expression *en quantité :*

*Pour avoir des prix, il faut acheter **en quantité.**
Nous avons reçu des lettres **en quantité.***

En quantité peut être affecté d'un adjectif :
en petite/grande/grosse quantité
en quantité importante/insuffisante/raisonnable

– le nombre de

> *Nous devons limiter **le nombre d'**étudiants par cours.*

Cet élément peut s'employer avec un adjectif :
un grand/certain/petit nombre de
un nombre impressionnant de

Après le nom ou le verbe, on utilise l'expression *en nombre :*

> *Je suggère que la bibliothèque commande ce livre **en nombre**.*
> *Cette année, les candidats se sont présentés **en nombre**.*

En nombre peut être affecté d'un adjectif :
en grand/petit nombre
en nombre suffisant/insuffisant
en nombre limité.

⚠ **Emploi des quantitatifs avec les pronoms personnels compléments.**

• Comme le nom, le pronom *en* peut être accompagné d'un quantitatif :

> *Tu veux une montre pour ton anniversaire ?*
> *– Non, j'**en** ai déjà **deux**.*
> *(= J'ai déjà **deux montres**)*

• Employé avec le pronom *en,* le quantitatif apparaît sans *de :*

> *Tu as terminé ton travail ?*
> *– Non, mais j'**en** ai fait **une grande partie**.*
> *(= J'ai fait **une grande partie de** mon travail.)*

• Employé en relation avec le pronom *en,* le quantitatif *quelques* devient *quelques-un(e)s.*

> *Il a rencontré les ouvriers en grève et **en** a interviewé **quelques-uns**.*
> *(= et a interviewé **quelques** ouvriers).*

• Avec le quantitatif *tout, tous, toute(s),* ce sont les pronoms *le, la, l', les* qui sont utilisés :

> *Les différents rapports sont terminés : je **les** remettrai **tous** demain matin.*
> *(= Je remettrai **tous les** rapports demain matin.)*

LES QUANTITATIFS LIÉS AU VERBE

– **beaucoup**

> *Il lit **beaucoup**.*

– **tant**

> *Dommage qu'on parte ! On s'amusait **tant** !*

– **tellement**

> *Il mérite des vacances. Il a **tellement** travaillé !*

– **trop**

> *Vous fumez **trop** !*

– **peu**

> *Ses recommandations sont **peu** suivies.*

Remarque :
Peu peut être précédé de **très, trop, si** :

> *Oh, vous savez, je mange **très peu**.*
> *Je le connais **trop peu** pour porter un jugement sur lui.*
> *Nous voyageons **si peu** maintenant !*

– **un peu**

> *Je lis **un peu** chaque soir.*

– **assez**

> *J'ai **assez** conduit. À toi !*

– **plus**
– **moins**
– **autant**　　}(cf. page 112)
– **de plus en plus**
– **de moins en moins**

⚠ Place du quantitatif par rapport au verbe.

● Verbe à la forme simple :

> *Il ⟨s'intéresse⟩ **peu** à la littérature.*

● Verbe à la forme composée :

> *Je pensais que tu ⟨aurais⟩ **assez** ⟨mangé⟩ !*

● Verbe suivi d'un infinitif :

> *Il aime **beaucoup** ⟨lire⟩.*

LES QUANTITATIFS LIÉS À L'ADJECTIF ET À L'ADVERBE

– très, tellement, si

> *L'appartement est **très** petit.*
> *Il m'a offert des fleurs. C'est **tellement** rare !*
> *C'est **si** gentil de m'avoir accompagné(e).*
> *Il y a **très/tellement/si** longtemps que je ne l'ai pas vu !*

– peu s'emploie devant l'adjectif long (composé de deux syllabes au moins) :

> *Tout ceci est **peu** intéressant.*

Devant l'adjectif court (d'une syllabe) et devant l'adverbe, *peu* est remplacé par *pas très/pas tellement/pas si*.
Ainsi on évitera de dire :

> *C'est **peu** cher. (adjectif court).*
> *Je l'ai vu il y a **peu** longtemps. (devant un adverbe).*

On dira plutôt :

> *Ce **n'est pas très/pas tellement/pas si** cher.*
> *Je l'ai vu il **n'y** a **pas très/pas tellement/pas si** longtemps.*

– trop

> *Je ne peux pas boire ce thé : il est **trop** sucré !*
> *On ne pourra pas la garder : elle travaille **trop** lentement !*

– un peu s'emploie devant l'adjectif quel que soit le nombre de syllabes :

> *Je trouve ça **un peu** cher.*
> *Nous commencions à être **un peu** inquiets.*

Il peut précéder un certain nombre d'adverbes :

> *La décision a été prise **un peu** vite !*
> *C'est **un peu** tard pour intervenir.*

– assez

> *Moi, j'ai trouvé la pièce **assez** drôle.*
> *Nous le voyons **assez** régulièrement.*

– plus
– moins
– aussi   } cf. pages 113 et 114
– de plus en plus
– de moins en moins

ÉQUIVALENTS LEXICAUX À

PLUS, MOINS, ÉGAL, TROP, PEU.

La liste présentée ci-dessous vise à montrer qu'une même notion peut s'exprimer avec des éléments linguistiques différents. Ainsi un quantitatif peut-il être remplacé par *un autre quantitatif, un nom, un verbe, un adjectif.*

Connaître ces moyens et les employer, c'est développer :

– **une expression plus riche**

• *grâce à la possibilité du choix lexical :* **plus/davantage,** *l'***augmentation/la hausse,**

• *grâce à la possibilité du choix syntaxique : la phrase commence par un groupe verbal dans* **Il fait moins chaud**
et par un groupe nominal dans **La température a baissé.**

– **une expression plus juste par les associations nom-verbe**

On dit : *Les salaires augmentent*
mais : *Les maisons de la culture se* **multiplient.**

Ou encore : *Un* **réduit** *l'inflation*
mais : *On* **allège** *les tâches de quelqu'un.*

plus	*Je ne peux pas t'aider* **plus.**
davantage	*Je ne peux pas t'aider* **davantage.**
plus de	*Il gagne* **plus de** *9 000 francs par mois.*
supérieur à	*Son salaire est* **supérieur à** *9 000 francs par mois.*
dépasser	*Son salaire* **dépasse** *9 000 francs par mois.*
en plus	*C'est du travail* **en plus** *pour nous.*
supplémentaire	*C'est du travail* **supplémentaire** *pour nous.*
(s') ajouter	*C'est un travail qui* **s'ajoute** *à mon travail normal.*
un surcroît de	*C'est un* **surcroît de** *travail pour moi !*
de plus en plus (de)	*On exporte* **de plus en plus** *de produits de luxe.*
augmenter (de)	*Les salaires ont* **augmenté de** *10 p. 100.*
(l'augmentation)	*L'***augmentation des** *salaires a atteint 10 p. 100.*
(la hausse)	*La* **hausse des** *salaires s'élève à 10 p. 100.*

alourdir	Comment voulez-vous faire sans **alourdir** les charges?
(l'alourdissement)	**L'alourdissement** des charges est inévitable.
(se) multiplier	Les lettres de protestation **se multiplient.**
(la multiplication)	**La multiplication** des lettres de protestation m'inquiète.
(s') amplifier	C'est un phénomène nouveau qui **s'amplifie.**
(l'amplification)	On n'avait pas prévu **l'amplification** du phénomène.
grossir (de)	J'ai **grossi de** deux kilos.
prendre . . . kilo(s)	J'ai **pris** deux kilos.

moins de	Je paie **moins de** 1 500 francs par mois.
inférieur à	Mon loyer est **inférieur à** 1 500 francs par mois.
ne pas dépasser	Mon loyer **ne dépasse pas** 1 500 francs par mois.
en moins	Ça me fait du travail **en moins.**
déduire	Cette somme sera **déduite** de votre salaire.
quantitatif + de moins	Avec les nouveaux programmes, nous avons une heure de français **de moins** par semaine.
supprimer	On a **supprimé** une heure de français par semaine.
de moins en moins (de)	On exporte **de moins en moins de** produits de luxe.
diminuer (de)	L'inflation a **diminué de** 2 p. 100.
(la diminution)	**La diminution** de l'inflation est de 2 p. 100.
baisser (de)	La température a **baissé de** plusieurs degrés.
(la baisse)	**La baisse** de la température sera importante.
(la chute)	**La chute** du prix du pétrole inquiète les économistes.
(le recul)	**Le recul** de la natalité menace l'avenir des pays industrialisés.
réduire (de)	Le gouvernement veut **réduire** les dépenses de l'État.
(la réduction)	**Une réduction** des dépenses de l'État s'impose.
alléger	Est-il possible d'**alléger** les impôts?
(l'allégement)	**L'allégement** des impôts n'est pas pour demain!
maigrir (de)	J'ai **maigri de** deux kilos.
perdre . . . kilo(s)	J'ai **perdu** deux kilos.

égal(e) (à)	Son intelligence **égale** sa passion.
atteindre	La température **atteint** 40°.
s'élever à	La température **s'élève à** 40°.
être de	La température **est de** 40°.

trop (de)	Il roulait **trop** vite.
(un, l') excès de	Il a été arrêté pour **excès de** vitesse.

peu de, pas assez de	Nous n'avons **pas assez de** médicaments.
manquer de	Nous **manquons de** médicaments.
(le manque)	**Le manque** de médicaments est notre principal souci.
rare	Ici, les films en français sont **rares.**
(la rareté)	Nous souffrons de **la rareté** des films en français.

l'expression de la comparaison

QUANTITÉ ET COMPARAISON

FONCTIONNEMENT DE PLUS, MOINS, AUTANT/AUSSI

1. Avec le nom :

plus de moins de } nom (que...) autant de		*Il gagne **plus d'**argent (que moi).* *Il y a **moins de** chômeurs (qu'il y a cinq ans).* *On a **autant de** problèmes (qu'avant).*
de plus en plus de de moins en moins de } nom		*Il y a **de plus en plus d'**accidents graves.* *Nous avons **de moins en moins** d'espoir.*
le plus de[1] le moins de[2] } nom		*C'est lui qui a **le plus de** pouvoir.* *Elle cherche à avoir **le moins de** responsabilités possible.*

(1) *Le plus de* peut avoir pour équivalent *le maximum de :*
C'est lui qui a le maximum de pouvoir.
(2) *Le moins de* peut avoir pour équivalent *le minimum de :*
Elle cherche à avoir le minimum de *responsabilité.*

2. Avec le nombre :

plus de moins de } nombre, pourcentage[1]		*Je paie **plus de** 5 000 francs par mois de loyer.* *Les écologistes ont eu **moins de** 5 p. 100 des voix aux dernières élections.*

Avec le nombre, la comparaison entraîne un changement dans l'ordre des éléments :

nombre { de plus (que...) de moins (que...)		*J'ai donné 500 francs **de plus** (que toi).* *Il y a 10 degrés **de moins** (qu'hier).*

(1) Si le pourcentage est exprimé par *le tiers de, la moitié de, les trois quarts de,* l'article est maintenu après *plus de* et *moins de :*
Plus de la *moitié de la population souffre de malnutrition.*

3. Avec le verbe :

verbe { plus
        moins } (que...)
        autant
		*On dépense **plus** (qu'avant) pour les loisirs.*
		*J'aime **moins** celle-là (que l'autre).*
		*Alors, vous voyagez toujours **autant** (qu'avant) ?*

verbe { de plus en plus de moins en moins		*J'hésite **de plus en plus.*** *En vieillissant, on dort **de moins en moins.***
verbe { le plus le moins		*On ne sait pas qui des deux boit **le plus !*** *C'est lui que je connais **le moins.***

4. Avec l'adjectif ou l'adverbe :

a. plus
moins $\begin{Bmatrix} \text{adj.}^1 \\ \text{adv.}^2 \end{Bmatrix}$ (que...)
aussi

*Prenons cette route, elle est **plus** pittoresque (que la nationale).*
*Roule **moins** vite, je t'en prie !*
*Mais est-ce qu'il fait toujours **aussi** chaud (qu'en ce moment) ?*

---

(1)
Si l'adjectif est « bon »
↓
meilleur

*Son dernier roman est **meilleur** (que le précédent).*

↓
moins bon
plus mauvais/pire

*Cette solution est **moins bonne/plus mauvaise/pire** (que l'autre).*

↓
aussi bon

*Les résultats sont **aussi bons** (que l'an dernier).*

(2)
Si l'adverbe est « bien »
↓
mieux

*Il va **mieux** (qu'hier).*

↓
moins bien

*Les grosses voitures se vendent **moins bien** (que dans les années soixante-dix).*

↓
aussi bien

*J'espère qu'il réussira **aussi bien** dans ce poste (que dans le précédent).*

b. de plus en plus
de moins en moins } adj.^{1}
adv.^{2}

*L'affaire devient **de plus en plus** compliquée.*
*Je le vois **de moins en moins** souvent.*

---

(1)
Si l'adjectif est « bon »
↓
s'améliorer

*Sa prononciation **s'améliore.***

↓
de moins en moins bon
empirer
se dégrader
se détériorer
s'aggraver

*La situation financière est **de moins en moins bonne.***
*La situation financière **empire/ se dégrade/ se détériore/s'aggrave.***

(2)
Si l'adverbe est « bien »
↓
de mieux en mieux

*Il parle **de mieux en mieux** l'anglais.*

↓
de moins en moins bien
se dégrader
se détériorer
s'aggraver

*Il va **de moins en moins** bien.*
*Sa santé **se dégrade/se détériore/s'aggrave.***

c. le, la, les plus
un(e) des plus } adj.$^{2, 3}$
un(e) des... les plus

*Votre proposition est **la plus** intéressante.*
*Cette voiture est **une des plus** économiques.*
*C'est **une des** voitures **les plus** économiques.*

le, la, les moins		*Le menu **le moins** cher me convient parfaitement.*
un(e) des moins	adj.[2]	*Ce trajet est pourtant **un des moins** longs !*
un(e) des... les moins		*C'est **un des** hôtels **les moins** luxueux.*
le plus		*L'histoire, c'est ce qu'il étudie **le plus** volontiers.*
le moins	adv.[1]	*Je souhaite le voir **le moins** souvent possible !*

(1)
Si l'adverbe est « bien »
↓

le mieux	*Le mieux, c'est de ne pas répondre !*
↓	
le moins bien	*C'est elle qui réussit **le moins bien**.*

(2)
Si l'adjectif est « bon »
↓

le, la, les meilleur(e)(s)	*Nous offrons **le meilleur** rapport qualité-prix.*
un(e) des meilleur(e)s	*Elle a été **une de mes meilleures** secrétaires.*
un(e) des... les meilleur(e)s	*Il m'a invité dans **un des** restaurants **les meilleurs**.*
↓	
le, la, les moins bon(ne)(s)	*Parmi toutes les solutions possibles, elle a choisi **la***
le, la, les plus mauvais(e)(s)	***moins bonne/la plus mauvaise/la pire** !*
le, la, les pire(s)	
↓	
un(e) des moins bon(ne)(s)	*Ce spectacle est **un des moins bons/un des plus***
un(e) des plus mauvais(e)(s)	***mauvais/un des pires** de la saison.*
un(e) des pire(s)	
↓	
un(e) des... les moins bon(ne)(s)	*C'est **une des** récoltes **les moins bonnes/les plus***
un(e) des... les plus mauvais(e)(s)	***mauvaises/les pires** depuis de nombreuses années.*
un(e) des... les pires	

(3)
Si l'adjectif est « petit », il faut considérer deux cas :

a) « petit » exprime la taille, la dimension

*On m'a donné **le plus petit** bureau.*
*Ma fille est **une des plus petites** de la classe.*
*C'est **un des** appareils **les plus petits** qui existent.*

b) « petit » a le sens de
● « peu important », on emploie
le, la plus petit(e)
ou
le, la moindre
(style d'expression plus recherché) ;
on note que le verbe est à la forme affirmative.

__Le plus petit__ détail peut nous aider.

__Le moindre__ détail peut nous aider.
(= Même un détail peu important peut nous aider.)

Autres exemples :
*Ici, **le moindre** repas coûte 500 francs !*
*Il faut répondre, c'est **la moindre** des politesses !*

● « aucune » quand le verbe est à la forme négative

*Je n'ai pas **la plus petite** idée sur la question.*
*Je n'ai pas **la moindre** idée sur la question.*
(= Je n'ai aucune idée sur la question.)

Autres exemples :
*On ne lui a pas laissé **la moindre** chance.*
*Nous n'avons pas **le moindre** indice.*

● « tous les » devant un nom au pluriel ; le verbe est à la forme affirmative

*J'ai suivi l'affaire dans **les plus petits** détails.*
*J'ai suivi l'affaire dans **les moindres** détails.*
(= J'ai suivi l'affaire dans tous les détails.)

Autres exemples :
*Mon regard suivait **ses moindres** mouvements.*
*Ce professeur corrige **les moindres** erreurs de prononciation.*

5. *Avec la phrase :*

plus... plus	***Plus*** *on le connaît,* ***plus*** *on apprécie son sens des relations humaines.*
moins... moins	***Moins*** *il s'occupe de ce que je fais,* ***moins*** *il y a de tension entre nous.*
autant... autant	***Autant*** *la première partie de votre recherche est intéressante,* ***autant*** *la deuxième partie me paraît superficielle et à côté du sujet.*
Combinaisons	
plus... moins	***Plus*** *ça va,* ***moins*** *je comprends pourquoi ils se sont mariés !*
moins... plus	***Moins*** *il y a de travail,* ***plus*** *je suis contente !*

Remarque : **Plus** placé en deuxième position peut être remplacé par **mieux** ou **meilleur** quand la comparaison porte respectivement sur l'adverbe **bien**
Moins je mange, *mieux je me porte.*
(se porter bien)
ou sur l'adjectif **bon**
Plus ce vin est vieux, *meilleur il est.*
(le vin est bon)

PRONONCIATION DE PLUS ET MOINS

1. *Lorsque le quantitatif se trouve en position finale*

– on prononce le [s] de *plus* :	– on ne prononce pas le [s] de *moins* :
Prends-en un peu plus. *Je l'aime de plus en plus.*	*Prends-en un peu moins.* *Je l'aime de moins en moins.*

2. *Lorsque le quantitatif* plus *ou* moins *se trouve devant* de

– on ne prononce pas le [s] :

Je l'ai répété plus de dix fois !   *Maintenant, j'ai beaucoup moins de temps.*

3. *Dans la comparaison* plus que... *ou* moins que...

– on prononce le [s] de *plus* :	– on ne prononce pas le [s] de *moins* :
Je travaille plus que toi *Je m'y intéresse plus maintenant qu'avant.*	*Je travaille moins que toi.* *Je m'y intéresse moins maintenant qu'avant.*

4. *Lorsque* plus *ou* moins *se trouve devant un adjectif ou un adverbe,*

_ on ne prononce jamais le [s] devant une consonne ou un « h » aspiré :

> *Comme ça, c'est plus facile.*
> *Quel est le moins cher ?*
> *Mets-le le plus haut possible.*

_ on fait la liaison avec [z] si l'adjectif ou l'adverbe commence par une voyelle ou un « h » muet :

> *C'est le film le plus idiot de l'année.*
>   ‿
>   z
> *C'est moins important que le reste.*
>   ‿
>   z
> *Il faudrait un environnement plus humain.*
>   ‿
>   z

Cela est également valable pour *mieux :*

> *On souhaiterait être mieux informés.*
>   ‿
>   z

5. *La liaison avec* [z] *se fait également à l'intérieur des groupes suivants :*

de plus en plus, de moins en moins, de mieux en mieux.
        ‿   ‿   ‿
        z   z   z

les formes verbales verbales et l'expression du temps

LES FORMES VERBALES

Elles peuvent être classées en six catégories :

1. L'indicatif *est un mode de présentation des actions qui permet à la fois :*

– **de poser les actions :**

> *Le chauffage ne marche pas.*

– **de les situer dans le temps :**

> *Il a fait très froid hier.*
> *Il fera encore plus froid demain.*

– **d'envisager leur réalisation de différentes manières :**

en cours d'accomplissement : *Je cherche un appartement.*

comme accomplie : *Elle a été malade.*

comme hypothétique : *Tu n'aurais pas de la fièvre par hasard ?*

Le fonctionnement de l'indicatif est complexe : se reporter au tableau page 124 et à la présentation des temps de l'indicatif pages 126 à 140.

2. L'impératif, *lui, établit un mode de relation particulier entre celui qui s'exprime et celui qui reçoit le message ; il sert à transmettre un ordre, éventuellement un conseil :*

> *Partez tout de suite.*
> *Et sois revenu(e) avant 6 heures !*

Se reporter à la présentation page 141.

3. Le subjonctif, *dans la majorité des cas, est annoncé par* que *qui introduit une complétive (à ne pas confondre avec* que *pronom relatif).*

S'il est employé à la place de l'indicatif de manière obligatoire ou facultative, c'est qu'il reflète un mode d'expression particulier.

Il faut distinguer deux cas :

a. Cas de verbe introducteur + que :

*Je **crains qu'**il (ne) **soit fâché !***
*Tout le monde **se réjouit qu'**elle **s'en aille.***
*Il **ne supporte pas que** son fils **sorte** le soir.*
*On **comprend mal qu'**il **n'ait pas accepté** ce poste.*

À travers ces exemples, on remarque que le subjonctif accompagne un verbe introducteur indiquant une attitude particulière du sujet (sentiment, opinion, exigence, appréciation, etc., qui sont des traits entrant en jeu dans l'expression des nuances et le phénomène de modalisation, cf. pages 222 à 227).

Remarque : Dans ce cas, le subjonctif présent exprime une action présente ou future (le plus souvent) ; le subjonctif passé exprime une action passée :

Je regrette qu'il ne soit pas venu

ou une action antérieure :

J'exige que vous ayez remis votre rapport avant mercredi.

b. Cas d'utilisation d'un élément de relation contenant que ou de la reprise par c'est que...

– si l'action est tournée vers le futur :

*On ira **à condition qu'**il fasse beau.*

*Je viendrai **à moins que** mon travail (ne) me retienne.*

*Son ambition, **c'est que** sa fille devienne architecte.*

*Le mieux, **c'est qu'**on prenne le train.*

Ici, avec l'emploi du subjonctif, on dépasse la notion d'hypothèse liée au futur de l'indicatif (cf. *Tableau des temps,* page 124) ; le subjonctif ajoute à l'expression du futur l'idée de non-réalisation éventuelle, ce qui permet d'atténuer une affirmation. La différence est nette lorsque le subjonctif et l'indicatif sont en concurrence :

*Tout est arrangé de sorte que vous n'**aurez** aucun problème.*

(Le résultat est inscrit dans les faits : *avec l'indicatif,* **de sorte que** *établit une relation de conséquence.*)

*Tout est arrangé de sorte que vous n'**ayez** aucun problème.*

(Le résultat est seulement envisagé, soumis à des phénomènes imprévisibles : *avec le subjonctif, de sorte que* établit une relation de but.)

– si l'action est posée dans le présent :

*Tout riche qu'il **est,** il n'a pas une vieillesse heureuse.*

*Tout riche qu'il **soit,** il n'a pas une vieillesse heureuse.*

Le présent pose le fait comme réel (il est riche, on le sait) alors que le subjonctif présente le même fait comme une vision. Ce jeu entre l'indicatif et le subjonctif se retrouve dans d'autres cas (cf. pages 149 à 152) et notamment dans la construction relative :

Il est difficile de trouver une secrétaire qui connaît le japonais.
(fait posé sur le plan du réel)

Il est difficile de trouver une secrétaire qui connaisse le japonais.
(fait évoqué sur un plan abstrait)

_ si l'action se situe dans le passé :

On exprime les mêmes nuances (plan du réel, plan abstrait) en opposant un des temps du passé de l'indicatif et le subjonctif passé :

Je ne connais personne qui a lu toute l'œuvre de X.
Je ne connais personne qui ait lu toute l'œuvre de X.

4. L'infinitif *est soumis à des règles de construction :*

J'ai décidé de rester encore quelques jours.
Il est sorti sans faire de bruit.

L'impossibilité de le conjuguer (avec je, tu, il, etc.,) limite ses emplois :

● il se substitue à la construction complétive dans le cas *que + verbe à l'indicatif* pour éviter la répétition du même sujet :

J'espère que je viendrai / J'espère venir.

● il se substitue à la construction relative avec *qui* après des verbes comme voir, entendre, sentir :

J'ai vu les deux hommes partir par là.
(= J'ai vu les deux hommes qui partaient par là.)

Se reporter à la présentation de l'infinitif, pages 153 et 154.

5. Le participe présent, le participe passé et le gérondif *sont des formes verbales utilisées comme techniques d'expression en remplacement de la construction relative avec qui ou différentes constructions circonstancielles :*

a. Cas du participe présent :   *Voilà le dossier concernant l'affaire X.*
(= Voilà le dossier qui concerne l'affaire X.)

*La direction **ayant refusé** nos propositions, nous continuons la grève.*
*(= Nous continuons la grève **parce que** la direction a refusé nos propositions.)*

b. Cas du participe passé :

*Les enfants **partis** en vacances, je serai beaucoup plus libre.*
*(= **Quand** les enfants seront partis en vacances, je serai beaucoup plus libre.)*

c. Cas du gérondif :

***En arrivant,** vous vous présenterez au Service d'accueil.*
*(= **Quand** vous arriverez / **À votre arrivée,** vous vous présenterez au Service d'accueil.)*

Se reporter à la présentation, pages 156-157.

6. Le passif et les verbes pronominaux à sens passif.

Le passif est une forme obtenue par transformation de la forme dite active.

FORME ACTIVE		FORME PASSIVE
*Plusieurs millions de téléspectateurs **ont suivi** le match.*	→	*Le match **a été suivi par** plusieurs millions de téléspectateurs.*
*On ne **prendra** aucune décision avant la semaine prochaine.*	→	*Aucune décision ne **sera prise** avant la semaine prochaine.*
*On **vend** plus facilement un petit appartement qu'un grand.*	→	*Un petit appartement **se vend** plus facilement qu'un grand.*

La forme passive permet :

• de mettre en valeur le sujet du passif (qui était en position d'objet, c'est-à-dire rejeté après le verbe, dans la forme active) ;

• d'éviter l'utilisation du pronom indéfini **on** ou la désignation de l'auteur de l'action.

Se reporter à la présentation, pages 158 et 159.

LES TEMPS

Ils servent :

1. À situer les actions par rapport au moment où on parle :

- **dans la période présente :**

  Je paie ma place.

- **dans la période future :**

  Il ne viendra pas.

- **dans la période passée :**

  Le facteur a déposé un paquet.

Le discours rapporté (on se place au moment où on s'est exprimé) entraîne une transposition des temps, que l'on appelle la concordance des temps (cf. pages 162 à 164) :

J'ai dit que je payais ma place.
J'ai dit qu'il ne viendrait pas.
J'ai dit que le facteur avait déposé un paquet.

2. À situer les actions les unes par rapport aux autres :

- rapport de simultanéité :

  Il s'est engagé sur la route au moment où un camion arrivait.
  └─────────────── au même moment ───────────────┘

- rapport d'antériorité/de postériorité :

  Tu sortiras quand tu auras rangé tes affaires.
  └───────┘   └───────┘
  action 2   action 1

  Il avait déjà mangé quand je suis arrivé(e).
  └───────────┘   └───────────┘
    action 1   action 2

Il faut souligner que *seul l'indicatif permet l'expression du temps par les verbes.* Les autres formes verbales ne connaissent qu'une opposition entre une forme simple pour l'expression du présent et une forme composée (*avoir* ou *être* + participe passé) pour l'expression du passé ou de l'accompli :

– cas de l'impératif :

Nettoyez tout !
Ayez tout nettoyé avant mon retour !

– cas du subjonctif :

J'aimerais bien qu'il *parte.*
J'aimerais bien qu'il *soit déjà parti.*

Le subjonctif connaît deux autres temps permettant la concordance des temps (cf. p. 163) :

J'aurais bien aimé qu'il *partît.*
J'aurais bien aimé qu'il *fût déjà parti.*

Mais ces temps (respectivement l'imparfait et le plus-que-parfait du subjonctif) n'apparaissent plus dans l'utilisation quotidienne de la langue, à l'oral comme à l'écrit. On se contente d'employer les formes du présent et du passé en sacrifiant la concordance des temps :

J'aurais bien aimé qu'il *parte.*
J'aurais bien aimé qu'il *soit déjà parti.*

– cas de l'infinitif :

Tu n'as pas honte de *mentir ?*
Tu n'as pas honte d'*avoir menti ?*

– cas du participe présent :

Nous n'avions aucun document *permettant* de nous justifier.
Aucun document n'*ayant permis* de nous justifier, le juge nous a déclarés coupables.

– le participe passé ne connaît qu'une forme :

Toute personne *vue* avant l'attentat avec un grand sac bleu est suspecte.
(= Toute personne qui a été vue avant l'attentat avec un grand sac bleu est suspecte.)

– le gérondif est très rarement utilisé pour indiquer le passé ou l'accompli ; il existe toutefois :

Elle est partie de chez elle *en laissant* une marmite sur le feu !
Elle est partie de chez elle *en ayant laissé* une marmite sur le feu !

Pour la conjugaison des verbes, se reporter au *Larousse de la conjugaison,* Paris, Larousse, 176 p., 1980.

LE SYSTÈME DES

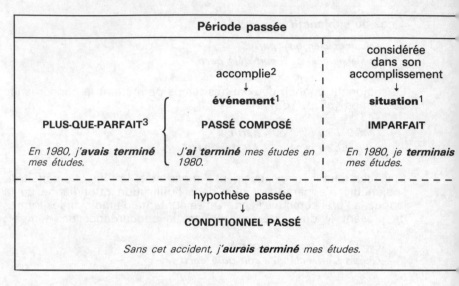

Période passée		
	accomplie[2] ↓	considérée dans son accomplissement ↓
	événement[1]	situation[1]
PLUS-QUE-PARFAIT[3]	PASSÉ COMPOSÉ	IMPARFAIT
En 1980, j'**avais terminé** mes études.	J'**ai terminé** mes études en 1980.	En 1980, je **terminais** mes études.

hypothèse passée
↓
CONDITIONNEL PASSÉ

Sans cet accident, j'**aurais terminé** mes études.

(1) Pour la distinction *événement – situation,* se reporter aux pages 133 à 135.

(2) L'action accomplie dans le passé peut être aussi exprimée par le passé simple ; se reporter aux pages 135 et 136.

(3) Le plus-que-parfait exprime une action qui a eu lieu avant une action exprimée

● au passé composé (événement)

Il s'est énervé parce que j'avais oublié d'acheter son journal.

└─────────┘   └──────────────────┘
   action 2   action 1 antérieure à
                 action 2

● à l'imparfait

J'étais inquiète parce qu'il n'avait pas téléphoné.

└─────────┘   └──────────────────┘
   action 2   action 1 antérieure
               à action 2

TEMPS DE L'INDICATIF

Période présente	Période future		
en cours d'accomplissement	considérée dans son accomplissement		considérée comme accomplie
↓	↓		↓
PRÉSENT	PRÉSENT		FUTUR ANTÉRIEUR
ce moment, je **termine** s études.	L'année prochaine, je **termine** mes études.		L'année prochaine, j'**aurai terminé** mes études.
hypothèse présente ↓ NDITIONNEL PRÉSENT	hypothèse future ↓ FUTUR		
lui, je **terminerais** mes études.	L'année prochaine, je **terminerai** mes études.		

Remarque :

Après **quand, dès que, après que,** on emploie le passé surcomposé formé de **être** ou **avoir** au passé composé + participe passé pour exprimer l'action antérieure :

Quand il **a été parti**, nous avons pu discuter tranquillement.

Dès qu'elle **a eu terminé** de manger, elle est allée se coucher.

On m'a informé après que j'**ai eu pris** la décision.

Dans ce cas, l'action 2 est toujours exprimée au passé composé.

Ce tableau met en évidence les temps de l'indicatif dont les emplois et les valeurs sont présentés de manière détaillée ci-après.

LE PRÉSENT

1. *Il est d'abord le temps qui exprime* une action en cours d'accomplissement :

> *Pierre **est** dans sa chambre, il **regarde** la télé.*
> *Ne la dérangez pas. Elle **prépare** sa conférence.*

Dans ce cas, l'action peut être exprimée par ***être en train de** + verbe :*

> *Il **est en train de regarder** la télé.*
> *Elle **est en train de préparer** sa conférence.*

2. *Le présent est aussi employé pour évoquer* une action passée étroitement liée à la situation présente ; *cette possibilité n'existe qu'avec des verbes à sens perfectif (l'action se termine en se faisant) :*

> *Je **rentre** de vacances et les ennuis commencent !*
> *J'ai rencontré Pierre par hasard. Je le **quitte** à l'instant : sa santé m'inquiète beaucoup !*

Le passé récent peut être exprimé par ***venir de** + verbe,* que le verbe ait un sens perfectif ou non :

> *Je **viens de rentrer** de vacances et les ennuis commencent !*
> *Je **viens de quitter** Pierre : sa santé m'inquiète !*
> *Ta mère **vient de téléphoner.***

3. *Le présent peut avoir aussi* une valeur de futur :

— lorsque l'action est proche, liée au moment présent :

> *Il n'a pas téléphoné ? Bon, alors, je l'**appelle**.*
> *Nous **partons** dans cinq minutes.*

Le futur proche peut être exprimé par *aller + verbe :*

> *Je **vais** l'appeler.*
> *Nous **allons** partir.*

126

_ lorsque l'action, qui n'est pas obligatoirement proche, est *déterminée par les faits présents* : l'action est *vue dans son accomplissement* :

> Je suis très fatigué(e) ; cet été, je **prends** deux mois de vacances.
> L'année prochaine, je **prépare** le concours d'entrée à Polytechnique.

⚠ L'emploi du présent avec une valeur de passé ou de futur est étroitement lié à la situation de communication. Cela signifie que ce présent n'est possible qu'aux conditions précisées ci-dessus.

4. *Dans le récit, le présent est souvent utilisé à la place du passé composé pour faire revivre une série d'actions ; en alternant avec les temps du passé, il dégage la scène principale et crée une tension émotive :*

> Hier, je prenais une bière à la terrasse d'un café ; tout d'un coup, une voiture **s'arrête,** en **sortent** deux hommes armés qui **enlèvent** un passant. Tout s'est passé très vite. J'ai appris par la radio qu'il s'agissait d'une affaire concernant le milieu de la drogue.

5. *Le présent sert également à exprimer des vérités générales, connues de tout le monde, incontestables :*

> L'alcool **tue.**
> La pollution **menace** les forêts.

C'est ainsi que certains faits historiques, certains éléments biographiques peuvent être rapportés au présent :

> « À 60 ans, Voltaire **découvre** la nature et la vie rustique. Avec Mme Denis, sa gouvernante, il **reçoit** ses amis et **installe,** bien entendu, un théâtre où l'on **joue** l'« Orphelin de la Chine » (1755). Toujours philosophe, il **publie** le « Poème sur le désastre de Lisbonne » et l'« Essai sur les mœurs » (1756). » (Lagarde et Michard, XVIIIe siècle, Bordas page 113.)

LE PASSÉ COMPOSÉ ET L'IMPARFAIT

MORPHOLOGIE DU PASSÉ COMPOSÉ

Le passé composé est formé des auxiliaires **être** ou **avoir** conjugués au présent + le participe passé du verbe :

*Les clients **sont sortis** par l'escalier de secours.*
*Ils **ont obtenu** une augmentation de salaire.*

1. *Le passé composé est formé de l'auxiliaire* être + *participe passé*

a. **Pour les verbes naître, mourir, devenir, apparaître, intervenir, parvenir, tomber :**

*Il **est** né en 1962.*
*La situation **est** devenue dramatique.*

b. **Pour les verbes qui impliquent la notion de** déplacement **comme :**

arriver, partir, aller, retourner, venir, revenir, passer, entrer, rentrer, sortir, monter, descendre, tomber et **rester** qui suppose la possibilité d'un déplacement.

*Je **suis allé(e)** au cinéma.*

*En revenant de vacances, nous **sommes passés** par la Suisse.*

*Il **est parti** vers le village.*

*Je **suis resté(e)** chez moi.*

On remarque que ces verbes exprimant un déplacement sont directement suivis d'un complément de lieu ; celui-ci peut être sous-entendu, mais la notion de déplacement subsiste :

*Quand j'ai vu ça, je **suis parti(e)**.*

Remarque : Certains de ces verbes peuvent aussi se construire avec un **complément d'objet direct** ; dans ce cas, l'auxiliaire **être** est remplacé par l'auxiliaire **avoir**.

*Je **suis rentré(e)** très tard.*
mais
*J'**ai rentré** la voiture au garage.*
*Il **est monté** dans sa chambre.*
mais
*Il **a monté** tous les bagages dans sa chambre.*

c. Pour tous les verbes pronominaux :

Il s'est trouvé sans argent.
C'est elle qui s'est occupée des réservations.

Remarque : Dans la construction passive, c'est toujours l'auxiliaire **être** qui est utilisé, mais il ne faut pas confondre ce cas avec le passé composé :

L'esprit d'initiative n'est pas encouragé.
(= On n'encourage pas l'esprit d'initiative.)

Se reporter page 158.

2. Le passé composé est formé de l'auxiliaire avoir + participe passé

a. Pour tous les verbes qui admettent une construction directe ou indirecte (complément d'objet, infinitif, construction complétive) :

Est-ce que tu as sorti la poubelle ?
J'ai emmené les enfants à l'école.
Le commissaire a pensé qu'il fallait intervenir.
Il a décidé de partir à l'étranger.

b. Pour tous les verbes qui n'admettent pas de construction directe ou indirecte (on les appelle des verbes intransitifs) :

L'alarme n'a pas fonctionné.
J'ai bien dormi !

Mais ces verbes peuvent, bien sûr, être suivis d'un circonstant (de temps, de lieu, de cause, etc.) :

L'avion a décollé à 20 h 15.
Nous avons marché dans la forêt.
Il a gémi de douleur.

3. L'accord du participe passé

a. Lorsque le participe passé est précédé de avoir, l'accord ne se fait qu'avec le complément d'objet direct et si celui-ci est placé avant le verbe :

C'est le cas lorsque le passé composé est précédé des pronoms *l'*, *les* et *que :*

Où as-tu mis la salade ? – Je l'ai mise dans le frigo.
Où as-tu mis les légumes que j'ai rapportés du marché ?

ou des pronoms *m'*, *t'*, *nous, vous* s'ils sont compléments d'objet direct :

Il nous a ramenés à la maison.
(ramener quelqu'un ; donc nous est complément d'objet direct)
mais
Il nous a téléphoné.
(téléphoner à quelqu'un ; donc nous est complément d'objet indirect)

Remarque : Cette règle d'accord est valable pour le passé composé, le plus-que-parfait, le futur antérieur et le conditionnel passé qui se conjuguent avec **avoir**.

⚠ Quand le participe passé est suivi d'un infinitif, les règles d'accord sont très complexes ; on peut dire, en simplifiant, que :

On fait l'accord

si le complément d'objet direct, placé devant les deux verbes, est le complément du participe passé :

Elles, je **les** ai autoris**ées** à **s'inscrire.**
(*J'**ai autorisé** ces deux étudiantes à s'inscrire.*)

*Où est Sophie ? Je **l'**ai entendu**e pleurer.***
(*J'**ai entendu** Sophie qui pleurait.*)

On ne fait pas l'accord

si le complément d'objet, placé avant les deux verbes, est complément de l'infinitif :

*C'est une décision **que** j'ai préfér**é prendre** tout de suite.*
(*J'ai préféré **prendre** cette décision tout de suite.*)

*Cette télé, je l'ai déjà fai**t réparer** deux fois !*
(*J'ai déjà fait **réparer** la télé deux fois !*)

Remarque : **Fait** (participe passé) ne s'accorde jamais devant un infinitif.

Pour un examen approfondi des cas spécifiques, se reporter au *Larousse de l'orthographe,* pages 37 à 41.

---

b. Lorsque le participe passé est précédé de être :

On fait l'accord

avec le sujet pour tous les verbes non pronominaux :

*Je crois qu'**ils** sont sort**is**.*
***Elle** est deven**ue** insupportable.*

Remarque : La forme passive suit la même règle d'accord.

Elle est soignée dans le meilleur hôpital de la ville.
*Les **limitations** de vitesse ne sont pas respect**ées**.*

On fait ou on ne fait pas l'accord pour les verbes pronominaux.

Les cas sont très variés : ceux présentés ci-dessous fournissent les règles essentielles. Pour un examen des cas spécifiques, se reporter au *Larousse de l'orthographe,* pages 42 à 44.

_ **Il y a accord** du participe passé **avec le sujet :**

• pour les verbes pronominaux employés sans complément d'objet :

Elle s'est évanouie.
*Nous **nous** sommes **reposé(e)s.***

• pour les verbes pronominaux à construction directe employés sans complément d'objet :

***Elle** s'est lavée. (= Elle a lavé elle-même.)*
***Pierre et Sophie** se sont embrassés. (= Pierre a embrassé Sophie et Sophie a embrassé Pierre.)*

• pour les verbes pronominaux employés à la forme passive :

***Ses deux derniers romans** se sont bien vendus.*

• pour les verbes pronominaux suivis d'un adjectif :

***Elle** s'est crue malade.*
***Nous** nous sommes estimés heureux d'avoir sauvé nos vies.*

_ **Il n'y a pas d'accord** du participe passé avec le sujet pour les verbes pronominaux à construction indirecte :

***Ils** se sont souri. (sourire **à** quelqu'un)*
***Elles** se sont écrit. (écrire **à** quelqu'un)*
***Nous** nous sommes plu. (plaire **à** quelqu'un)*

_ **Il y a accord ou pas** selon les cas considérés :

il n'y a pas d'accord	il y a accord
• pour les verbes pronominaux employés avec un complément d'objet direct **placé après le verbe** :	• pour les verbes pronominaux employés avec un complément d'objet direct **placé avant le verbe** (repris par les pronoms **le, la, les** et **que**) :
*Elle s'est lavé **les mains**.* *(= elle a lavé ses mains)*	→ *Et tes mains ? – Ça y est, je me **les** suis lavées.*
*Elle s'est accordé **quelques jours** de vacances.* *(= elle a accordé quelques jours de vacances à elle-même)*	→ *Les quelques jours de vacances **qu'**elle s'est accordés n'auront pas été reposants !*

il n'y a pas d'accord	il y a accord
• pour les verbes pronominaux suivis d'un infinitif	• pour les verbes pronominaux suivis d'un infinitif
si le verbe et l'infinitif n'ont pas le même sujet :	**si le verbe et l'infinitif ont le même sujet :**
Elle s'est laissé soigner. *(quelqu'un l'a soignée)* *Ils se sont fait construire une belle maison.* *(quelqu'un a construit la maison pour eux)*	→ *Elle s'est laissée mourir.* *(Elle est morte)* → Remarque : Devant un infinitif, le participe passé de **se faire** ne s'accorde jamais avec le sujet : *Elle s'est fait insulter.*

• pour les expressions verbales employées à la forme pronominale, le problème est très complexe : sans que ce soit une règle générale, on peut dire à titre indicatif que

il n'y a pas d'accord	**il y a accord**
si expression verbale = verbe pronominal + nom	si expression verbale = verbe pronominal + adjectif élément soumis à accord
Elle s'est rendu compte de son erreur. *Ils se sont porté secours.* *Elle s'est fait mal.* *Ils se sont fait justice.*	→ *Elle s'est rendue maîtresse de la situation.* → *Ils se sont portés volontaires pour aider les sinistrés.* → avec **se faire**, on peut trouver ici les deux formes *Elle s'est fait/faite belle.*

MORPHOLOGIE DE L'IMPARFAIT

L'imparfait est formé des terminaisons **-ais, -ait, -aient, -ions, -iez** qu'on ajoute au radical du verbe fourni par la 1re personne du pluriel au temps présent :

(nous) **pren**(ons)	*je **pren**ais* *tu **pren**ais* *il, elle, on **pren**ait* *ils, elles **pren**aient* *nous **pren**ions* *vous **pren**iez*

Le verbe ***être*** est une exception : j'étais, tu étais, il/elle/on était, ils/elles étaient, nous étions, vous étiez.

RELATION PASSÉ COMPOSÉ/IMPARFAIT

Passé composé et imparfait sont deux temps concurrents puisqu'ils servent à caractériser des actions se situant dans la même période du passé. L'emploi de l'un par rapport à l'autre est dicté par la manière *de voir* aujourd'hui comment se sont réalisées ces actions dans le passé :

– **avec le passé composé, l'action** est considérée **comme ponctuelle ; elle** est vue **comme un** <u>événement</u> **:** *Il a crié.*

– **avec l'imparfait, la même action prend une dimension ; elle** est vue **comme une** $\boxed{\text{SITUATION}}$ **:** *Il criait.*

Les valeurs respectives du passé composé et de l'imparfait apparaissent clairement lorsqu'on met en relation deux actions dans le passé :

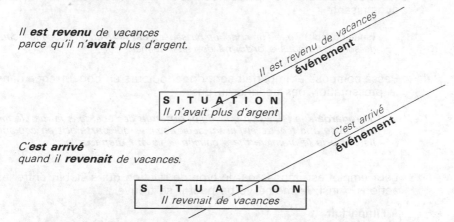

*Il **est revenu** de vacances parce qu'il n'**avait** plus d'argent.*

*C'**est arrivé** quand il **revenait** de vacances.*

Cette schématisation indique que les deux actions se situent bien dans la même période passée mais sur deux plans différents : l'**événement** (action ponctuelle) traverse la $\boxed{\text{SITUATION}}$ qui sert de cadre. *L'emploi du passé composé et de l'imparfait est* donc *lié* non pas à l'application d'une règle grammaticale mais *à l'organisation des actions les unes par rapport aux autres :*

– les actions se situent sur deux plans différents : on traduit cette différence par l'opposition passé-composé – imparfait :

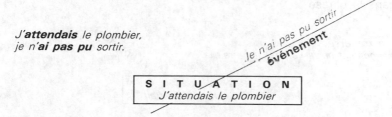

*J'**attendais** le plombier, je n'**ai pas pu** sortir.*

– les actions se situent sur le même plan (série d'actions succes-
sives) ; on emploie :

le passé composé, si les actions sont considérées comme des
<u>**événements**</u> :

> « *Dès qu'il m'**a vu**, il **s'est soulevé** un peu et **a mis** la main dans sa poche.
> Moi, naturellement, j'**ai serré** le révolver de Raymond dans mon veston.
> Alors, de nouveau, il **s'est laissé** aller en arrière, mais sans retirer la main
> de sa poche. »*
> *L'Étranger*, Camus, I, 6 (Gallimard)

l'imparfait, si les actions sont considérées comme des SITUATIONS :

> *Personne ne **savait** ce qui se **passait**. Des policiers **tournaient** autour de
> notre autobus, le chauffeur **parlait** à voix basse avec l'un d'entre eux...*

Mais l'imparfait, qui, par la juxtaposition des situations, rend le récit
statique, appelle le passé composé qui va créer la rupture
dynamisante :

> *(suite du récit) Tout d'un coup, un passager **s'est levé** et, en nous menaçant
> de son arme, nous **a ordonné** de rester calmes.*

Passé composé et imparfait sont donc toujours en concurrence dans
la présentation des actions au passé :

> *Je **regardais** la télévision quand j'**ai entendu** des cris dans la rue. Je me
> **suis mise** à la fenêtre et j'**ai vu** deux hommes qui **partaient** en courant.
> Ils **ont pris** la première rue à gauche et ils **ont disparu**.*

Leur emploi est imposé par le type de relation qui s'établit entre les
actions. Ainsi, le même verbe peut-il se trouver

à l'imparfait
dans la phrase

*Il **traversait***
quand la voiture a démarré.

et au passé composé
dans la phrase

*Il **a traversé***
au moment où la voiture démarrait.

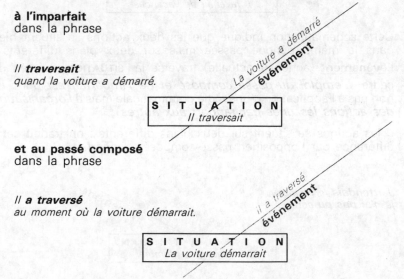

Il est donc impossible de lier l'emploi de l'imparfait à la durée de l'action. Il peut servir à exprimer une action brève mais considérée comme une situation dans laquelle prend place un événement :

*Il **ouvrait** sa porte quand il **a été** poignardé.*

tandis que le passé composé peut servir à exprimer une action longue :

*Il **a dormi** toute la journée.*

RELATION PASSÉ COMPOSÉ/PASSÉ SIMPLE

Intervenant pour décrire des actions dans la même période passée, le passé composé et le passé simple peuvent être considérés comme des temps concurrents. Et, de fait, les emplois sont bien différenciés :
- le passé simple n'apparaît pas à l'oral, sauf, de manière très isolée, pour produire un effet comique ;
- il est, en revanche, très utilisé dans l'écrit historique, littéraire et journalistique

– soit à la place du passé composé

il sert alors à caractériser des événements par rapport à des situations rapportées à l'imparfait :

*« Huguet nous attendait au grand quartier général britannique. Il nous **conduisit** au château de Vaux-le-Pénil, où nous **trouvâmes** le maréchal entouré d'officiers de son état-major... Je **pris** aussitôt la parole. Je **mis** toute mon âme à convaincre le maréchal ; je lui **dis** que l'heure était décisive et que nous ne pouvions pas la laisser passer : il fallait aller à la bataille, toutes nos forces réunies et sans arrière-pensée. »*
Mémoires du maréchal Joffre, Paris, Plon, 1932, t. I, pp. 393-394.

*« Derrière la fine pellicule de buée, j'observais les passants qui déposaient du courrier. La pluie leur donnait des airs de conspirateurs : s'immobilisant devant la boîte aux lettres, ils sortaient une enveloppe de leur manteau et très vite, pour ne pas la mouiller, la jetaient dans une fente en redressant le col pour affronter la pluie. J'**approchai** mon visage de la fenêtre et, les yeux collés contre le verre, j'**eus** soudain l'impression que tous ces gens se trouvaient dans un aquarium. »*
La Salle de bains, J. P. Toussaint, Paris, Les éditions de Minuit, 1985, pp. 30-31.

– soit en alternance avec le passé composé

dans ce cas, il sert à repousser l'action dans le passé par rapport à l'action exprimée au passé composé, laquelle paraît alors plus liée à l'expérience présente :

*« Voilà comment quarante ans ont passé. Je ne m'en doutais guère quand je **commençai**. Je croyais faire un abrégé de quelques volumes peut-être en quatre ans, en six ans. Mais on n'abrège que ce qui est bien connu. Et ni moi ni personne alors ne savait cette histoire... Poussant toujours plus loin dans ma poursuite ardente, je me **perdis** de vue, je m'**absentai** de moi. J'ai passé à côté du monde et j'ai pris l'histoire pour la vie. »*
Préface de l'Histoire de France, Michelet.

Il convient de bien connaître les formes du passé simple et le fonctionnement de ce temps par rapport au passé composé pour pouvoir apprécier sa valeur, dans les textes littéraires notamment. S'il est vrai que cette forme verbale a complètement disparu de l'usage quotidien de la langue pour beaucoup de Français, elle reste très vivante dans la littérature moderne et apparaît assez fréquemment dans les journaux.

VALEURS PARTICULIÈRES DE L'IMPARFAIT

Il peut être employé

1. À la place d'un passé composé pour donner une dimension à l'action et donc la mettre en valeur par rapport aux actions qui précèdent exprimées au passé composé :

J'**ai vu** cette étudiante plusieurs fois, je lui **ai tout expliqué ;** hier encore, elle **venait** me demander un renseignement !

« Ce n'est que trois heures plus tard que M. et Mme Reynolds **découvraient** leur femme de ménage ligotée et **alertaient** les policiers. »
Fait divers rapporté dans un journal.

L'imparfait, ici, produit un effet « gros plan », comme au cinéma, pour amplifier l'action.

2. À la place du conditionnel passé pour renforcer la certitude :

À une minute près, tu ne me **trouvais** pas à la maison. (= À une minute près, tu ne m'aurais pas trouvé à la maison.)

3. À la place du présent pour engager poliment la conversation :

Je **venais** vous dire que..., je **souhaitais** vous parler de..., je **tenais** à vous voir pour..., je **voulais** vous informer de...

4. Mais l'imparfait s'impose après :

– **si** introduisant une proposition, une suggestion, une invitation :

Si on **allait** au cinéma...
Si tu **venais** avec nous...

– **comme si** :

Il agit comme s'il **avait** toujours vingt ans.
Il me questionne sans arrêt comme si je **savais** quelque chose.

LE PLUS-QUE-PARFAIT ET LE PASSÉ SURCOMPOSÉ

1. Le plus-que-parfait se construit avec avoir **ou** être **à l'imparfait + participe passé :**

> J'ai téléphoné mais tu **étais** déjà **parti.**
> Je n'y étais pas parce qu'on ne m'**avait** pas **invité(e).**

Il sert à marquer l'antériorité d'une ⬚SITUATION⬚ :

_ par rapport à une autre ⬚SITUATION⬚ dans le passé :

> Il **avait mangé,** il prenait son café.
>
> **SITUATION 1   SITUATION 2**
>   └ dans le passé ┘

_ par rapport à un **événement** passé :

> Je suis arrivé à 8 h 12 : le train **était parti.**
>   **événement   SITUATION** antérieure
>   └── dans le passé ──┘

2. Pour marquer l'antériorité d'un événement **passé, on emploie le passé surcomposé formé de** avoir **au passé composé + participe passé après** quand, dès que, après que :

> Quand j'**ai eu fini** mon rapport, j'ai démissionné.
>   **événement 1   événement 2**
>   └── dans le passé ──┘

Le passé surcomposé s'emploie essentiellement après *quand, dès que* et *après que* et il exige une correspondance avec le passé composé :

> Quand il **a eu fait** ses comptes, il a compris !
> Je m'en suis aperçu dès que j'**ai eu fermé** la porte.
> Ça s'est passé après qu'il **a eu remis** son dossier au service de la scolarité.

LE FUTUR

Comme l'indique le tableau p. 125, on dispose de trois formes verbales pour exprimer une action future :

1. La forme du présent lorsque l'action est vue dans son accomplissement :

> Cet été, je ne **pars** pas en vacances.
> Il a pris rendez-vous avec moi. Je le **vois** demain.

Cette manière d'exprimer le futur est possible quand les circonstances, au moment où on parle, expliquent l'action future ou permettent de la considérer comme sûre.
L'emploi de la forme **aller au présent** + **infinitif** obéit à la même règle contextuelle :

> Je suis fatigué : je **vais** me **reposer** un moment.

et se justifie par l'imminence, la proximité de l'action :

> Dépêche-toi, nous **allons partir.**
> Je **vais** te **montrer** quelques photos.

2. Par opposition, on utilise la forme du futur avec ses terminaisons en -rai, -ras, -ra, -ront, -rons, -rez **pour présenter une action future non conditionnée par la situation au moment où on parle ; elle est plutôt l'expression d'une hypothèse, d'une promesse, d'une prévision, d'un projet :**

> Il n'était pas chez lui, je le **rappellerai** plus tard.
> Passe à la maison, je te **montrerai** les photos.

Remarque : Dans l'expression de la condition avec **si**, il faut respecter une concordance des temps rigoureuse : Si tu **viens**, tu m'**aideras** à ranger les livres.
Il y a correspondance présent-futur, mais le futur ne se trouve jamais placé immédiatement après **si**.

3. Une action future peut être considérée comme accomplie, déjà réalisée.

On utilise alors le futur antérieur formé de l'auxiliaire **être** ou **avoir** au futur + participe passé :

> Il est midi. Il **sera parti !**
> Dans deux semaines, j'**aurai retrouvé** mon pays et ma famille !

Cette forme sert aussi à marquer l'antériorité d'une action par rapport à une action future :

> Je **reprendrai** mon travail quand j'**aurai élevé** mes enfants. Pas avant !

LE CONDITIONNEL

Le tableau page 125 fait apparaître une parenté étroite entre le futur et le conditionnel :

– **ils présentent les actions comme hypothétiques :**

- pouvant se réaliser dans le futur : futur
- non réalisables : conditionnel présent
- non réalisées ou non accomplies : conditionnel passé

– **ils sont caractérisés par des terminaisons proches :**

pour le futur **-rai, -ras, -ra, -ront, -rons, -rez**
pour le conditionnel **-rais, -rait, -raient, -rions, -riez**

1. *On utilise le conditionnel présent*

a. Pour exprimer une hypothèse présente c'est-à-dire le non-accomplissement de l'action évoquée :

*Une semaine de vacances me **permettrait** d'aller les voir.*
*Sans télévision, elle se **sentirait** très seule.*
*Je rêve d'une maison qui **aurait** un grand jardin.*
*Ils ont peur, sinon ils **parleraient**.*

Remarque : Dans l'expression de la condition avec **si**, il faut respecter la concordance des temps :

*Si j'**avais** un peu d'argent, je **terminerais** les travaux.*
*S'il **fallait** l'aider, nous le **ferions**.*

Il y a correspondance imparfait-conditionnel présent, mais le conditionnel ne se trouve jamais placé directement après **si**.

b. Pour suggérer une idée :

*Tu **pourrais** l'inviter.*
*On **devrait** faire cette réunion.*
*Il **faudrait** prendre une décision.*

Il remplace ici la forme de l'impératif *(Invite-le)* ou celle du présent *(On doit faire cette réunion ; il faut prendre une décision)* qui exprimeraient un ordre jugé trop brutal.

c. Dans les tournures de politesse, pour exprimer une demande :

*J'**aimerais** qu'on parle d'autre chose.*
*Je **souhaiterais** avoir votre opinion sur la question.*
*Je **préférerais** aller au cinéma.*
*Je vous **serais** reconnaissant(e) de bien vouloir vous occuper de mon dossier.*

d. Pour présenter une information avec une certaine réserve ; le style journalistique en use fréquemment :	*Le président français **se rendrait** prochainement en Chine.* *(= On pense que le président se rendra prochainement en Chine.)* *Un des employés de la banque **serait** complice.* *(= On pense qu'un employé de la banque est complice.)*

2. On utilise le conditionnel passé qui est formé de être *ou* avoir *au conditionnel présent + participe passé*

a. Pour exprimer une hypothèse passée c'est-à-dire une action non réalisée, non accomplie dans le passé :	*Sans mon intervention, on **aurait supprimé** deux postes !* *Je l'ai retenue par le bras, sinon elle **serait tombée.*** *Pour réussir, il **aurait fallu** que tu travailles un peu plus !*

Ici, le conditionnel passé pourrait être remplacé par l'imparfait (cf. Valeurs de l'imparfait page 136).

Remarque : Dans l'expression de la condition avec **si**, il faut respecter la concordance des temps :

*Si elle **avait vu** un médecin, elle **aurait guéri** plus vite.*
*Si j'**avais voulu**, je **serais parti(e)** à l'étranger.*

Il y a correspondance plus-que-parfait/conditionnel passé, mais le conditionnel passé ne se trouve jamais directement après **si**.

b. Pour exprimer avec une certaine réserve une information passée :	*L'avion s'est écrasé à l'atterrissage : le pilote **n'aurait pas respecté** les consignes de la tour de contrôle.* *(= On pense que le pilote n'a pas respecté les consignes.)* *Le cambrioleur **serait entré** par le garage.* *(= On pense que le cambrioleur est entré par le garage.)*
c. Pour exprimer une action antérieure à une action présentée au conditionnel présent :	*Il a dit qu'il **viendrait** nous voir quand il **aurait terminé** son roman.*

L'IMPÉRATIF

Il est utilisé pour ordonner, donner des consignes, donner un conseil :

> **Reste** ici.
> **Fermez** la porte à double tour.
> **Va** le voir tout de suite.

Limité à trois formes, l'impératif concerne :

– le **tu**

> **Occupe-toi** de tes affaires !

– le **vous singulier**

> **Venez** me voir demain matin.

– le **vous pluriel**

> **Votez** massivement !

– le **nous**

> Ne **parlons** pas de cela !

Pour atteindre la troisième personne, c'est-à-dire **il(s)** et **elle(s)**, on utilise **que** + subjonctif :

> **Qu'il parte** immédiatement !
> **Qu'elle m'écrive.**

Par ailleurs, l'ordre, l'obligation peuvent être exprimés par les verbes **falloir, devoir, avoir à** + **infinitif** qui présentent l'avantage de pouvoir concerner toutes les personnes et notamment le **je** :

> Il **faut** que **je** parte immédiatement.
> **Je dois** rapporter le dossier avant 10 heures.
> **J'ai** mes examens **à** passer d'abord.

L'impératif peut être remplacé par une tournure au conditionnel pour éviter une expression trop brutale :

> **J'aimerais** que tu restes ici.
> **Pourrais**-tu fermer la porte à double tour ?
> Tu **devrais** aller le voir tout de suite.

L'impératif passé est formé de **être** ou **avoir** à l'impératif présent + participe passé ; il exprime une action future considérée comme accomplie :

> **Soyez revenu(e)(s)** pour 8 heures !
> **Aie préparé** toutes tes affaires avant que je rentre !

LE SUBJONCTIF

Les formes ordinairement employées dans le français oral et écrit d'aujourd'hui sont :

– **le subjonctif présent :**

> Je suis heureux que tu **viennes** avec nous.
> Mes parents souhaitent que je **poursuive** mes études.

– **et le subjonctif passé :**

> Il est content que j'**aie réussi.**
> Je suis étonné qu'il ne **soit** pas encore **rentré.**

Les autres formes, l'imparfait et le plus-que-parfait du subjonctif, n'apparaissent que dans l'écrit littéraire ou l'expression recherchée pour respecter la concordance des temps (cf. page 163) :

> Il aurait fallu que nous **fussions** au courant !
> Il n'acceptait pas que le mariage **fût décidé** si vite.

L'emploi du subjonctif est :

– **soit obligatoire**

il est déclenché par des formes linguistiques répertoriées ci-dessous,

– **soit facultatif**

il apparaît en concurrence avec l'indicatif dans certains types de construction présentés pages 149 à 152.

EMPLOI OBLIGATOIRE DU SUBJONCTIF

Le subjonctif apparaît dans de nombreux cas de construction introduite par *que :*

1. *Cas de la construction complétive* (verbe introducteur + que) :

> Je veux qu'il **parte.**   Je regrette qu'il **soit parti.**
> Il est possible qu'il **pleuve.**   Il faudrait que vous **lisiez** davantage.

a. Les verbes introducteurs qui commandent le subjonctif après que **sont très nombreux. Il s'agit de verbes qui expriment une** attitude particulière du sujet **(sentiment, opinion, exigence, appréciation, etc.).**

Ceux présentés ci-après afin d'illustrer la notion « d'attitude particulière du sujet » sont extraits du *Dictionnaire des verbes* ; ils sont répartis en deux groupes selon le type de construction utilisé :

– **sujet + verbe + que :**

Exemple : *accepter*

Il accepte que *je prenne une semaine de vacances à Noël.*

accepter, admettre (= comprendre), adorer, aimer, apprécier, s'attacher *(à ce que),* attendre, s'attendre *(à ce que),* avoir envie, avoir intérêt *(à ce que),* avoir peur, comprendre (= partager l'opinion), compter, consentir, craindre, défendre, demander, désirer, détester, s'émouvoir *(de ce que),* empêcher, envisager, éviter, exiger, faire, faire attention, se féliciter, gagner *(à ce que),* s'habituer *(à ce que),* s'indigner, s'inquiéter, interdire, juger + *adjectif,* mériter, se moquer, obtenir, ordonner, pardonner, permettre, se plaindre, préférer, proposer, recommander, refuser, regretter, se réjouir, souhaiter, suggérer, supplier, supporter, tenir *(à ce que),* tolérer, trouver + *adjectif,* veiller *(à ce que)*

– **sujet + être + verbe au participe passé + que/ça + verbe + quelqu'un + que** (construction familière) :

Exemple : *gêner*

Il est gêné que *nous voulions l'aider financièrement.*
Ça le gêne que *nous voulions l'aider financièrement.*

affoler, agacer, amuser, arranger, avancer (= gagner du temps), choquer, combler, déranger, effrayer, embêter, émouvoir, énerver, ennuyer, (s') étonner, épouvanter, frapper, gêner, importer, indigner, inquiéter, passionner, perturber, rassurer, réjouir, satisfaire, soulager, surprendre, toucher (= provoquer une émotion)

N. B. Il faut vérifier dans le *Dictionnaire des verbes* si les verbes de la liste ci-dessus admettent les deux types de construction ou un seul des deux.

b. Parallèlement à ces verbes qui entraînent une complétive au subjonctif, sont fournis ci-dessous, pour information, les verbes qui entraînent une complétive à l'indicatif.

Exemple :

Vous pouvez **constater que** tout est en ordre.

Toutefois, certains de ces verbes, indiqués par * dans la liste, admettent le subjonctif ou l'indicatif lorsqu'ils sont à la forme négative :

Je **ne crois pas** qu'il viendra.
Je **ne crois pas** qu'il vienne.

Mais c'est le subjonctif qui est, dans ce cas, le plus fréquemment employé. Les nuances introduites par l'emploi de l'indicatif ou du subjonctif sont expliquées pages 118 à 120.

* admettre (= accepter), affirmer, ajouter, annoncer, s'apercevoir, apprendre, assurer, attester, avertir, * avoir l'impression, * avoir le sentiment, avouer, cacher, * comprendre (= saisir le sens), conclure, confirmer, * considérer, constater, contrôler, convaincre, * être convaincu, * convenir, crier, * croire, décider, déclarer, déduire, (se) dissimuler, écrire, enseigner, entendre dire, * espérer, * estimer, établir, * être certain, * être sûr, expliquer, ignorer, * imaginer, indiquer, informer, * juger, lire, mentionner, montrer, * nier, noter, observer, oublier, * penser, persuader, * être persuadé, * se plaindre *(subj. possible aussi)*, préciser, * prétendre, prévenir, * prévoir, profiter, * promettre, raconter, rappeler, * se rappeler, reconnaître, relever (= noter), remarquer, se rendre compte, répéter, répondre, révéler, savoir, sentir, signaler, souligner, soutenir, * se souvenir, * supposer, * trouver, vérifier, * voir (= considérer)

Remarques :
1. Les verbes non accompagnés de *, qui sont ceux entraînant toujours une complétive à l'indicatif (qu'ils soient à la forme affirmative ou négative), expriment une manière de **dire** : confirmer, déclarer, montrer, raconter, signaler, etc.

2. Après **admettre, comprendre, se plaindre** à la forme négative, c'est le plus souvent le subjonctif qui est utilisé.

Dans certains cas, il est difficile de comprendre l'emploi du subjonctif par rapport à l'emploi de l'indicatif :

Je souhaite qu'il vienne.
mais *J'espère qu'*il viendra.

Imaginez que tout soit détruit !
mais *J'imagine que* tout est détruit !

Il est donc nécessaire d'apprendre les associations *verbe introducteur + que + subjonctif/indicatif* ou de se référer au **Dictionnaire des verbes** en cas de doute.

c. **Par ailleurs, le subjonctif apparaît le plus souvent après la tournure impersonnelle** il + verbe **ou** il est + adjectif :

*Il faut que tu **fasses** attention.*
*Il arrive que je n'**entende** pas le téléphone !*
*Il est nécessaire que vous m'**avertissiez** à l'avance.*
*Il est inadmissible qu'on **soit** si mal logés !*

Les cas où on trouve l'indicatif dans la complétive après la tournure impersonnelle sont peu nombreux :

Il paraît que, il ressort (de qqch) que,

il est certain que, il est clair que, il est entendu que, il est évident que, il est exact que.

⚠ La complétive peut se trouver en début de phrase dans deux cas :

– cas de l'inversion à des fins de mise en valeur :

Qu'il n'ait rien fait *ne me surprend pas !*
(= Je ne suis pas surpris(e) qu'il n'ait rien fait !)

– cas de la forme elliptique :

Que je fasse ça ! *Jamais !*
(= On voudrait que je fasse ça ? Jamais !)

On remarque que le verbe qui suit la complétive, dans le cas de l'inversion, ou le verbe sous-entendu, dans le cas de la forme elliptique, commandent l'emploi du subjonctif.
À noter que, si le verbe dit introducteur est la tournure impersonnelle *il est + adjectif*, celle-ci se transforme en *c'est + adjectif* dans le cas de l'inversion :

Qu'il soit déjà de retour, **c'est impossible !**
(= Il est impossible qu'il soit déjà de retour !)

2. Cas de la mise en relation de deux informations par un élément contenant que :

a. Relation de but/finalité :

– pour que

Je t'avertis pour que tu **fasses** *attention.*

– afin que

Nous changeons d'appartement afin que les enfants **aient** *chacun leur chambre.*

– de manière que (de manière à ce que)

Ces mesures ont été prises de manière (à ce) que les bas salaires **puissent** *progresser plus vite.*

– de façon que (de façon à ce que)

Écrivez-nous de façon (à ce) que nous **ayons** *une trace de votre demande.*

– de sorte que

Je vous avertis un mois à l'avance de sorte que vous **ayez** *le temps de préparer l'examen.*

b. Relation de cause :

– de peur que

*Il ne prête jamais ses bandes dessinées de peur qu'on (ne) les lui **rende** abîmées.*

– de crainte que

*On le garde quelques jours de plus à l'hôpital de crainte que des ennuis cardiaques (n') **apparaissent**.*

– non... que

*Je me retire de l'équipe, non que je **sois** déçu(e), mais j'ai trop de travail par ailleurs.*

– ce n'est pas que

*Je n'aime pas ce climat ; ce n'est pas qu'il **fasse** froid, mais c'est trop humide.*

---

c. Relation de temps :

– avant que

*Ne quittez pas la maison avant que je (n') **aie téléphoné**.*

Remarque : **Après que** commande normalement l'indicatif :
*Il a changé d'avis après qu'on **a eu fixé** la date des vacances.*
mais l'emploi du subjonctif tend à se généraliser :
*Il a changé d'avis après qu'on **ait fixé** (ait eu fixé) la date des vacances.*

– en attendant que

*Ils habitent chez moi en attendant que leur appartement **soit** prêt.*

– jusqu'à ce que

*Vous resterez jusqu'à ce que je vous **dise** de partir !*

– d'ici à ce que

*D'ici à ce qu'il **soit** médecin, nous avons le temps !*

---

d. Relation de condition :

– à condition que

*Je t'emmène à condition que tu te **tiennes** tranquille pendant tout le repas.*

– pourvu que

*Je la laisse sortir avec ses amis pourvu que je **sache** où elle va.*

e. Relation d'opposition :

– **sans que**

Toutes les démarches ont été faites sans que je le **sache**.
(= Toutes les démarches ont été faites, mais je ne l'ai pas su.)

---

f. Relation de restriction/ concession :

– **bien que**

J'assisterai à sa conférence bien que je **sache** à l'avance ce qu'il va dire.

– **quoique**

J'irai passer les vacances de Noël au Canada, quoique je **craigne** beaucoup le froid !

– **à moins que**

J'aimerais faire partie de votre équipe, à moins que quelqu'un (ne) s'y **oppose.**

– **encore que**

Le commissaire Leflair a mené une enquête exemplaire, encore qu'il **ait perdu** stupidement du temps au début parce qu'il n'a pas voulu m'écouter !

– **encore faut-il que**

D'accord pour le concert de samedi soir. Encore faudra-t-il que Pierre **ne soit pas appelé** d'urgence. Ah ! le métier de médecin...

– **que... ou que**

Que vous **acceptiez** ou que vous **refusiez** de participer, le programme débutera comme prévu en septembre.

– **que... ou non**

Que vous **veniez** ou non, peu importe !

– **que...** devant une énumération :

Qu'il **s'agisse** de sport, de spectacle, de balade en voiture : rien ne l'intéresse !

– **que ce soit...** devant un nom :

Que ce **soit** un compliment ou une critique, dites ce que vous pensez.

ou devant un pronom :

Que ce **soit** vous ou quelqu'un d'autre, il faudra un représentant de notre institution.

– soit que... soit que

> Soit qu'il **ait oublié**, soit qu'il **ait eu** un empêchement, il n'est pas venu à la réunion.

– pour + adjectif + que

> Pour valables que **soient** vos raisons, je ne peux en tenir compte.

– si / aussi + adjectif + que

> Si indifférente qu'elle **paraisse**, elle est très disponible quand on a besoin d'elle.
> Aussi intelligent qu'il **soit**, il n'a pas le sens des affaires !

Remarque : Après **si / aussi** l'inversion du verbe et du pronom est possible (**que** est alors supprimé) :

Si indifférente **paraisse-t-elle**, elle est très disponible.
Aussi intelligent **soit-il**, il n'a pas le sens des affaires.

– tout (e) + adj. / nom + que

> Tout diplômé qu'il **soit**, il échoue par manque d'expérience.
> Tout professeur qu'il **soit**, il n'a pas su répondre.

Remarque : Ici, l'emploi de l'indicatif est possible si on veut poser le fait sur le plan du réel et non sur un plan abstrait (cf. explications pages 119 et 120).

– quelque + adjectif + que

> Quelque inquiétantes que **soient** les prévisions économiques, le gouvernement ne modifie pas son plan.

Remarque : **Quelque**, qui est équivalent à **pour / si / aussi**, s'emploie dans un style d'expression plus recherché ; sa forme est invariable (il peut être suivi d'un adjectif au singulier ou au pluriel, au masculin ou au féminin).

– qui que

> Qui que vous **interrogiez**, vous entendez la même plainte.
> Embauchez quelqu'un, **qui que ce soit !**

– quoi que

> Quoi que vous **fassiez**, il sera mécontent !
> Je vous interdis de dire **quoi que ce soit** à ce sujet.

– où que

> Où qu'il **aille**, il est accueilli à bras ouverts.
> J'irai avec toi, **où que ce soit**.

- **quel (s) que, quelle (s) que** + **être**

> *Quel que **soit** le résultat, je pars en vacances.*
> *Quelles que **soient** vos raisons, vous avez fait une faute professionnelle.*

- **quelque (s)** + **nom** + **que**

> *Quelque motif qu'il **ait**, il s'est mis dans une situation difficile.*
> *(= Quel que soit le motif, il...)*
> *Quelques suggestions que vous **fassiez**, il restera sourd !*
> *(= Quelles que soient vos suggestions, il...)*

Remarque : Cette forme est plus recherchée que les formes **quel (s), quelle (s) que** + **être** ; elle permet d'employer un verbe différent du verbe **être**.

EMPLOIS CONCURRENTS DU SUBJONCTIF ET DE L'INDICATIF

Sous certaines conditions, l'emploi de l'indicatif ou du subjonctif est possible : par exemple, dans le cas de la construction relative :

> *Elle cherche une place **où** elle **pourra** utiliser les langues qu'elle connaît.*
> ou
> *Elle cherche une place **où** elle **puisse** utiliser les langues qu'elle connaît.*

L'indicatif met en valeur l'aspect réel, concret, matériel du fait exprimé tandis que le subjonctif place le fait sur plan abstrait : le fait n'est plus posé mais évoqué. Ce jeu entre l'indicatif et le subjonctif est un procédé qui permet d'opposer deux manières de « voir » les actions ; mais ce procédé est lié à certaines constructions présentées ci-dessus, avec des exemples en parallèle pour tenter d'illustrer les nuances propres à l'emploi de l'indicatif et à l'emploi du subjonctif :

1. *Dans la complétive introduite par des verbes ou expressions verbales comme :*

admettre (= accepter), avoir l'impression, avoir le sentiment, comprendre (= saisir le sens), considérer, convenir, croire, espérer, estimer, être certain, être convaincu, être persuadé, être sûr, imaginer, juger, nier, penser, se plaindre, prétendre, promettre, se rappeler, se souvenir, supposer, trouver, voir (= considérer)

a. On utilise l'indicatif quand le verbe introducteur est à la forme affirmative :

> *Je pense qu'il **viendra**.*
> *Je suis persuadé(e) qu'il **a raison**.*

b. On utilise soit l'indicatif, soit le subjonctif :

— quand le verbe est à la forme négative :

• *l'indicatif* si le fait est considéré comme réalisé (passé) ou réalisable (présent ou futur), comme connu ou acquis.

*Je n'ai pas l'impression que vous **avez compris.***
(= Je vois que vous n'avez pas compris.)
*Je ne crois pas qu'il **est** idiot.*
(= Tout le monde dit qu'il est idiot.)

• *le subjonctif* si le fait est considéré comme une hypothèse :

*Je n'ai pas l'impression que vous **ayez compris.***
*Je ne crois pas qu'il **soit** idiot.*

Remarque : **Ne pas admettre, ne pas comprendre, ne pas se plaindre** sont le plus souvent suivis du subjonctif.

— quand la phrase est interrogative et pour exprimer les mêmes nuances :

*Croyez-vous qu'il **viendra** ?*
(On a annoncé sa venue, mais il n'est pas encore là.)
*Croyez-vous qu'il **vienne** ?*
(Rien ne permet de dire qu'il viendra.)

2. *Dans la construction relative :*

a. On utilise le subjonctif après rien **et** personne :

*Je cherche un appartement, mais je n'ai encore **rien** trouvé **qui** me **convienne.***
*Il n'y a **personne que** je **connaisse,** alors je m'en vais.*

b. On utilise plus rarement l'indicatif après rien ou personne **+ pronom relatif ; si c'est le cas, c'est pour exprimer un fait incontestable, définitif :**

*Je ne vois **rien qui** me **plaît.***
*On n'a trouvé **personne** qui **avait** les qualifications nécessaires.*

c. On utilise le subjonctif ou l'indicatif après quelqu'un **et** quelque chose, **après un nom ou un pronom :**

— selon que le verbe introducteur fait référence à un fait concret (indicatif) :

*Je **connais** quelqu'un **qui veut** garder des enfants le mercredi.*
*J'**ai trouvé** un appartement qui me **permet** d'avoir une pièce bien à moi.*

_ **ou exprime un fait envisagé** (subjonctif) :

Je **cherche** quelqu'un **qui veuille** garder des enfants le mercredi.

Je **voudrais avoir** un appartement plus grand **qui** me **permette** d'avoir une pièce bien à moi.

d. On utilise de préférence le subjonctif après un adjectif employé comme superlatif : le seul, l'unique, le premier, le dernier, **le plus souvent relié à un présentatif :**

C'est la **seule solution qu'on puisse** envisager.

Ça, c'est la **dernière chose qu'il faille** faire !

Cet emploi se retrouve après tous les superlatifs :

C'est le témoignage **le plus sérieux que** nous **ayons recueilli.**

C'est l'hôtel **le moins cher que** vous **puissiez** trouver ici.

Mais, comme dans les cas précédents, l'indicatif peut être utilisé pour souligner la réalité des faits :

C'est la seule solution qu'on **peut** envisager.

C'est le témoignage le plus sérieux que nous **avons recueilli.**

3. Dans le cas de la reprise par c'est que...

a. On utilise l'indicatif quand le fait exprimé est acquis, connu :

La difficulté, **c'est que** je ne **connais** pas suffisamment bien la langue du pays.

L'ennui, **c'est que** j'ai **déjà posté** la lettre.

Ce qui est sûr, **c'est qu'**il ne **pourra** pas retravailler.

b. On utilise le subjonctif quand le fait exprimé est une hypothèse, une projection dans l'avenir ; ce qui est souvent le cas lorsque ce type de construction est utilisé :

Ce qui serait dommage, **c'est qu'il pleuve !**

Son ambition, **c'est que** l'entreprise **accroisse** son chiffre d'affaires de 50 p. 100 par an.

L'idée, **c'est que** tout étudiant **fasse** un stage en milieu professionnel avant la fin de ses études.

Le groupe nominal comprend souvent un adjectif qui a la valeur d'un superlatif :

Mon unique souhait, c'est qu'elle **soit** heureuse !

Son principal souci, c'est que sa voiture **soit réparée** avant dimanche !

Le groupe nominal peut être remplacé par un superlatif seul :

Le mieux, c'est qu'on parte ensemble.

4. *Dans la construction conditionnelle avec coordination* si... et que...

a. L'indicatif pose le fait comme réel :	*Si* vous êtes malade *et que vous avez* besoin d'aide, n'hésitez pas à m'appeler.
b. Le subjonctif place le fait sur un plan général, abstrait :	*S'*il vient à Paris *et qu'il se sente* un peu perdu, je me ferai un plaisir de le recevoir à la maison.

5. *Après* tel(s), telle(s) que :

a. On emploie l'indicatif si le verbe qui précède est à la forme affirmative :	Le danger *était* tel qu'il *a fallu* évacuer les habitants.
b. On emploie le subjonctif si le verbe qui précède est à la forme négative :	Le danger *n'est pas* tel qu'il *faille* évacuer les habitants.

6. *Pour exprimer une hypothèse passée, on utilise le subjonctif à la place de l'indicatif dans l'expression recherchée et le style littéraire :*

a. Hypothèse passée exprimée par le temps verbal.	style courant	→	style recherché/littéraire
	conditionnel passé		subjonctif plus-que-parfait
	Vous m'auriez aidé, n'est-ce pas ?		*Vous m'eussiez aidé, n'est-ce pas ?*

b. Hypothèse passée introduite par comme si	style courant	→	style recherché/littéraire
	imparfait		subjonctif imparfait
	Il attendait une réponse immédiate comme si celle-ci était évidente !		*Il attendait une réponse immédiate comme si celle-ci fût évidente !*
	plus-que-parfait		subjonctif plus-que-parfait
	Elle s'est mise à pleurer comme si elle avait appris une mauvaise nouvelle !		*Elle se mit à pleurer comme si elle eût appris une mauvaise nouvelle !*

N.B. : Pour les cas de concordance des temps dans le style recherché et littéraire, cf. p. 163.

L'INFINITIF

Il se présente

— sous la forme simple :

*Il faut **prendre** le métro.*

— sous la forme composée : être **ou** avoir **à l'infinitif + participe passé :**

*Je regrette d'**être monté(e)** dans ce métro !*
*Je regrette de t'**avoir écouté(e) !***

1. L'infinitif apparaît après un autre verbe

● soit en construction directe :

*Voilà quelqu'un qui sait **convaincre** !*

● soit en construction indirecte avec les prépositions *à* ou *de :*

*On nous oblige **à travailler** le samedi.*
*Vous êtes prié(e) **d'éteindre** votre cigarette.*

● soit après une autre préposition introduisant une relation (de temps, de cause, de conséquence, d'opposition, etc.) dans la phrase :

*Revenez nous voir **après avoir vérifié** vos comptes.*
*Elle a pris un congé de six mois **pour terminer** sa thèse.*

a. On utilise la construction infinitive à la place de la construction complétive (que + phrase).	Quand le sujet est le même pour les deux verbes : *J'ai peur de **faire** une bêtise.* *Il a fait ça sans **s'en rendre compte**.* ou après un verbe du type *dire à qqn de faire qqch* (le sujet est différent pour les deux verbes) : *J'ai demandé à Pierre de m'**accompagner**.* *Il nous suggère de **prendre** le menu à 100 francs.*
b. On utilise la construction infinitive directe après les verbes de déplacement (aller, partir, retourner, venir, revenir, passer, entrer, rentrer, sortir, monter, descendre, rester) **pour exprimer le but ; le sujet est le même pour les deux verbes :**	*Elle passera **prendre** ses affaires demain.* *(= Elle passera pour prendre ses affaires demain.)* *Il fait froid ! Entrez vous **chauffer** un moment !* *(= Entrez pour vous chauffer un moment !)*

c. On utilise aussi la construction infinitive directe après les verbes écouter, entendre, voir et sentir ; **le sujet est différent pour les deux verbes :**

J'ai entendu Pierre arriver vers deux heures du matin.
(= J'ai entendu Pierre qui arrivait vers deux heures du matin.)

Ce mécontentement, aucun homme politique ne le sent grandir.
(= Aucun homme politique ne sent le mécontentement qui grandit.)

2. L'infinitif peut apparaître seul

a. Quand le premier verbe est sous-entendu :

Que penser ? (= Que faut-il penser ?)
Qui croire ? (= Qui faut-il croire ?)

Employé après les mots interrogatifs *que, (prép. +) qui, comment, pourquoi, où, combien, (prép. +) quoi,* il sert à exprimer une attitude (lassitude, perplexité).

Employé directement, il équivaut à l'impératif (ordre, conseil, consigne) :

Ne pas fumer. (= Ne fumez pas/Il ne faut pas fumer.)
Éplucher les légumes et les plonger dans l'eau bouillante.
(= Épluchez les légumes et plongez-les.../Il faut éplucher les légumes et il faut les plonger...)

b. Quand il est placé en position de sujet par manipulation syntaxique :

Renoncer serait stupide.
(= Il serait stupide de renoncer.)
S'amuser, c'est tout ce qu'elle a envie de faire !
(= Elle a envie de s'amuser, c'est tout !)

Dans les phrases suivantes, il est exclamatif et sert à exprimer des sentiments divers (l'intonation permet de ne pas compléter la phrase) :

Ah, partir...
(= Partir est un doux rêve/Je rêve de partir.)
Dire des choses pareilles !
(= Dire des choses pareilles est indigne/Il est indigne de dire des choses pareilles.)

LE PARTICIPE PRÉSENT

Il apparaît :

– **sous une forme simple : verbe terminé par -ant :**

*Ils protestent contre une mesure **limitant** les droits syndicaux.*

– **sous une forme composée :** être **ou** avoir **au partipe présent +
participe passé :**

*Les locataires **n'ayant pas payé** leur loyer depuis trois mois
seront expulsés.*

1. *Il est souvent utilisé en remplacement de la construction
relative avec* qui, *notamment quand une autre relative est
nécessaire dans la phrase :*

*Nous devons prendre une décision **concernant** l'affaire **dont** je vous ai parlé
la semaine dernière.*

2. *Il est également utilisé pour établir une relation de cause entre
deux informations ; ce procédé apparaît surtout dans le style
administratif, il sert à mettre en valeur la cause en la
présentant comme un argument :*

Mot d'excuse envoyé à un professeur :
*Ma fille **étant** malade, elle ne pourra assister à votre cours.*
(= Parce que ma fille est malade/Comme ma fille est malade...)

Tract
*La direction **ayant refusé** de prendre en considération nos revendications,
l'ensemble du personnel se mettra en grève à partir de lundi 8 heures.*
(= Parce que la direction/Comme la direction a refusé de...)

LE PARTICIPE PASSÉ

Employé seul, c'est-à-dire sans auxiliaire *être* ou *avoir* :

1. *Il remplace la construction relative avec* qui :

> *Après tant d'années **passées** à l'étranger, nos enfants ont du mal à s'adapter au système scolaire français.*
> *(= Après tant d'années qui ont été passées à l'étranger...)*

2. *Il sert à établir une relation de temps entre deux informations* :

> *Mes enfants **élevés**, je recommencerai à travailler.*
> *(= Quand mes enfants seront élevés, je recommencerai à travailler.)*

Remarque : Le participe passé employé seul prend la marque du singulier, du pluriel, du masculin ou du féminin comme un adjectif.

LE GÉRONDIF

Il apparaît :

- **sous une forme simple : en + verbe + -ant :**

  L'idée nous est venue **en discutant** d'autre chose.

- **sous une forme composée :** en + être **ou** avoir **au participe présent + participe passé, mais cette forme est assez rare :**

  Le cambrioleur a quitté l'appartement **en ayant pris** la précaution de ligoter la pauvre femme de ménage.

Il est employé pour mettre en relation deux actions faites *par le même sujet :*

  Nous avons eu cette mauvaise surprise **en rentrant** de vacances.
  (= **Nous** avons eu cette mauvaise surprise quand **nous** sommes rentrés de vacances.)

Il peut exprimer :

- **la manière**

  Ils se sont quittés **en pleurant**.

Remarque : Dans ce cas, le contraire peut être exprimé par **sans + infinitif :**
Ils se sont quittés **sans pleurer**.

- **la simultanéité**

  J'ai pris froid **en attendant** l'autobus.
  (= J'ai pris froid pendant que/quand j'attendais l'autobus.)

- **la cause**

  Je lui ai évité des ennuis **en ne disant rien**.
  (= Je lui ai évité des ennuis parce que je n'ai rien dit.)

- **la condition**

  En démissionnant, tu lui fais plaisir !
  (= Si tu démissionnes, tu lui fais plaisir !)

LE PASSIF ET LES VERBES PRONOMINAUX À SENS PASSIF

(cf. aussi p. 237)

1. Le passif.

Il est formé de *être + participe passé ; c'est la conjugaison de être* qui donne l'indication du temps :

*En ce moment, les témoins **sont interrogés** par la police.* (présent)
*Hier, les témoins **ont été interrogés** par la police.* (passé composé)
*Hier, les témoins **étaient interrogés** par la police.* (imparfait)
*Deux jours avant, les témoins **avaient été interrogés** par la police.* (plus-que-parfait)
*Les témoins **seront interrogés** dans quelques jours.* (futur)

La forme passive est une transformation de la forme active, donc un procédé qu'on utilise :

• pour insister sur le sujet du passif qu'on place en tête de phrase :

– **forme active**

*Le commissaire **a interrogé** le suspect.*

– **forme passive**

*Le suspect **a été interrogé** par le commissaire.*

par le... n'apparaît que si la précision est nécessaire :

*L'attestation doit **être signée** par le directeur.*
(et non par une autre personne)

mais, s'il s'agit d'un fait général, on dira :

*Les limitations de vitesse ne **sont** pas toujours **respectées**.*

• pour remplacer le pronom *on* indéfini de la forme active quand la forme passive est possible :

On a libéré les deux otages → Les deux otages ont été libérés.

2. Les verbes pronominaux à sens passif.

Cette forme est utilisée quand le sujet du verbe est un *inanimé*, qui ne peut donc pas avoir fait l'action :

*Les petits appartements **se vendent** mieux que les grands.*
(= On vend mieux les petits appartements que les grands.)

*Les travaux **s'effectueront** malgré les réductions budgétaires.*
(= On effectuera les travaux.../Les travaux seront effectués...)

*Ce vin **se boit** très frais.*
(= On doit boire ce vin très frais.)

Avec un sujet animé, le pronominal à sens passif est possible pour les quatre verbes suivants : *se laisser, se faire, se voir, s'entendre + infinitif :*

*Elle **s'est laissé** convaincre facilement.*
(= On l'a convaincue facilement.)

*Pierre **s'est fait** attaquer dans le métro.*
(= On a attaqué Pierre/Pierre a été attaqué dans le métro.)

*Il **s'est entendu** dire qu'il n'avait rien à faire là.*
(= On lui a dit qu'il n'avait rien à faire là.)

*Je **me suis vu** accuser pour rien.*
(= On m'a accusé(e)/J'ai été accusé(e) pour rien.)

la concordance
des temps

LA CONCORDANCE DES TEMPS

1. Dans la construction complétive.

a. Verbe 1 + que + verbe 2 à l'indicatif :

La présentation ci-dessous montre les combinaisons de temps possibles entre le verbe 1 appelé verbe introducteur (type *dire que*) et le verbe 2.

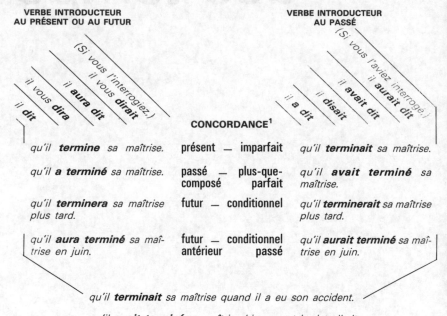

VERBE INTRODUCTEUR AU PRÉSENT OU AU FUTUR	CONCORDANCE[1]	VERBE INTRODUCTEUR AU PASSÉ
qu'il **termine** sa maîtrise.	présent — imparfait	qu'il **terminait** sa maîtrise.
qu'il **a terminé** sa maîtrise.	passé — plus-que- composé parfait	qu'il **avait terminé** sa maîtrise.
qu'il **terminera** sa maîtrise plus tard.	futur — conditionnel	qu'il **terminerait** sa maîtrise plus tard.
qu'il **aura terminé** sa maîtrise en juin.	futur — conditionnel antérieur passé	qu'il **aurait terminé** sa maîtrise en juin.

qu'il **terminait** sa maîtrise quand il a eu son accident.

qu'il **avait terminé** sa maîtrise bien avant la date limite.

qu'il **terminerait** sa maîtrise s'il n'était pas obligé de travailler.

qu'il **aurait terminé** sa maîtrise s'il n'avait pas été obligé de travailler.

(1) Il s'agit des concordances normalement réalisées. Mais il n'est pas impossible de trouver :
Il aurait dit *que notre proposition* est *idiote.*
   passé   présent
Hier, il a dit/disait *que la situation* s'améliorera.
      passé   futur
Cela est possible lorsqu'on exprime
— une idée générale : *Il* **a voulu** *démontrer une fois de plus qu'on* **peut** *très bien se passer d'une voiture !*
— une idée valable au moment où on parle : *On m'***a dit** *que vous* **êtes** *professeur.*

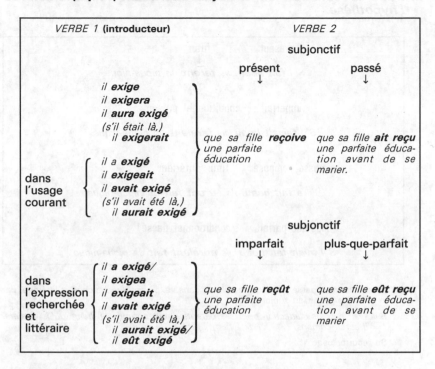

2. Dans la construction interrogative indirecte.

La concordance établie pour le cas de la construction complétive avec verbe à l'indicatif est valable (cf. p. 162).

VERBE INTRODUCTEUR AU PRÉSENT	VERBE INTRODUCTEUR AU PASSÉ
présent ↓	imparfait ↓
Je *me demande* si *c'est* vrai !	Je *me suis demandé(e)* si c'*était* vrai !
passé composé ↓	plus-que-parfait ↓
Je *ne sais pas* ce qu'il *a dit*.	Je *ne savais pas* } ce qu'il *avait dit*. Je *n'ai pas su*
futur ↓	conditionnel présent ↓
Dis-moi quand tu *arriveras*.	Il *ne* m'*a pas dit* quand il *arriverait*.
futur antérieur ↓	conditionnel passé ↓
Je *me demande* ce qu'il *aura inventé* comme prétexte !	Je *me suis demandé(e)* ce qu'il *aurait inventé* comme prétexte !

3. *Dans la construction avec* si *exprimant la condition ou l'hypothèse.*

présent   futur
    ↓   ↓

*S'il **fait beau**, ils **feront** un pique-nique.*

imparfait   conditionnel présent
  ↓   ↓

*S'il **faisait beau**, ils **feraient** un pique-nique.*

passé composé   futur antérieur
   ↓   ↓

*S'il **a fait beau**, ils **auront fait** un pique-nique.*

plus-que-parfait   conditionnel passé[1]
    ↓   ↓

*S'il **avait fait beau**, ils **auraient fait** un pique-nique.*

(1) Le conditionnel passé peut être remplacé, dans l'expression recherchée et littéraire, par le plus-que-parfait du subjonctif :

*S'il avait eu plus d'affection pour ses parents, il **eût compris** le drame qu'ils vivaient. (= il aurait compris)*

Se reporter page 152.

l'emploi des temps dans l'expression de la durée

LES TEMPS ET L'EXPRESSION DE LA DURÉE

La relation entre les marques de la durée et l'emploi des temps (notamment du présent par rapport au passé composé) ne s'établit pas sur des règles purement grammaticales. Outre les notions propres à chaque marque (notions de durée antérieure à l'action avec *dans*, de durée de l'action elle-même avec *en, pendant, depuis/il y a... que/ça fait... que*, de durée postérieure à l'action avec *il y a, depuis/il y a... que/ça fait... que, pour*), il faut prendre en considération un certain nombre de facteurs :
– La durée se situe-t-elle dans la période en cours ou dans une période entièrement passée ?
– L'activité est-elle considérée, dans le contexte, comme continue, permanente, régulière ou comme épisodique, intermittente, occasionnelle ; comme progressive ou comme ponctuelle ?
– Le verbe est-il à la forme affirmative ou à la forme négative ?

La difficulté majeure concerne l'utilisation de *depuis* et de ses substituts *il y a... que, ça fait... que* qui servent dans l'expression de deux notions différentes : la durée de l'action elle-même et la durée postérieure à l'action, ce qui entraîne un jeu complexe sur l'emploi du présent et du passé composé. Avant de présenter le tableau général des marques de la durée, il est bon d'observer le fonctionnement particulier de *depuis/il y a... que/ça fait... que*.

DEPUIS, IL Y A... QUE, ÇA FAIT... QUE

Temps	Notions exprimées		Contrainte	Exemples
Présent	Durée de l'action	activité continue	verbe à la forme affirmative ou négative	J'enseigne depuis cinq ans. Je n'enseigne plus depuis cinq ans.
Passé composé	Durée de l'action	activité intermittente	verbe à la forme négative	Je (ne) suis (pas) allé(e) au cinéma depuis des mois !
	Durée postérieure à l'action	activité ponctuelle (qui se termine en se faisant)	verbe à la forme affirmative	Il est parti depuis dix minutes.

166

TABLEAU GÉNÉRAL DES MARQUES DE LA DURÉE

1. *Pour exprimer la durée antérieure à l'action, c'est-à-dire la durée écoulée avant que l'action ne se produise, on utilise* **dans.**

> **dans**[1] *Vous* **reviendrez** *me voir* **dans** *un mois.*
> *Le travail* **sera** *terminé* **dans** *deux jours.*
>
> Le futur peut être remplacé par le présent pour indiquer une action sûre et immédiate :
>
> *Je* **pars dans** *cinq minutes.*

(1) Ne pas confondre *dans* avec *en* qui exprime la durée de l'action :
    On doit faire l'explication de texte en *deux heures.*
    (= On a deux heures pour faire l'explication de texte.)

2. *Pour exprimer la durée de l'action elle-même, on dispose des marques suivantes :* en, pendant, depuis/il y a... que/ça fait... que.

> **en**[2]   *On* **a fait** *le voyage* **en** *deux jours.*
> *C'est très loin, on* **fait** *toujours le voyage* **en** *deux jours.*
> *Si le temps est mauvais, on* **fera** *le voyage* **en** *deux jours.*
>
> **pendant**[2]   *On* **a interrogé** *chaque étudiant* **pendant** *une heure.*
> *Au cours de l'épreuve orale, on* **interroge** *chaque étudiant* **pendant** *une heure.*
> *On* **interrogera** *chaque étudiant* **pendant** *une heure pour connaître ses motivations.*
>
> **depuis/il y a... que/ça fait... que**
>
> *Nous* **habitons** *dans ce quartier* **depuis** *cinq ans.*
> *ou*
> **Il y a** *cinq ans* **que** *nous* **habitons** *dans ce quartier.*
> *ou*
> **Ça fait** *cinq ans* **que** *nous* **habitons** *dans ce quartier.*

⚠ Relation entre **pendant** et **depuis/il y a... que/ça fait... que** et emploi des temps (présent/passé composé).

L'action se situe dans une période complètement terminée :	L'action se situe dans la période en cours :
on emploie le passé composé avec	on emploie le présent avec
pendant s'opposant à	**depuis/il y a... que/ ça fait... que**

aff.	aff.
*J'*ai travaillé **pendant** *dix ans comme secrétaire bilingue.*	*Je* **travaille depuis** *dix ans comme secrétaire bilingue.*
nég.	nég.
Je **n'ai pas travaillé pendant** *dix ans pour élever mes enfants.*	*Je* **ne travaille plus depuis** *dix ans pour élever mes enfants.*
	Lire la note 3.

Avec un verbe à la forme négative, on peut utiliser le **passé composé** si l'activité évoquée est occasionnelle ou intermittente (voir quelqu'un, partir en week-end, se baigner, etc.) :

Je n'ai pas vu Pierre depuis longtemps.
*Nous **ne sommes pas partis** en week-end depuis six mois au moins !*
*Tu **ne t'es pas baigné(e) depuis** plusieurs années ?*
Lire les notes 4 et 5.

Avec un verbe indiquant une *activité progressive* : diminuer, augmenter, grossir, maigrir, progresser, (s') améliorer, (s') aggraver, etc., on a les possibilités suivantes :

pendant s'opposant à	**depuis/il y a... que/ ça fait... que**
+ passé composé	+ présent ou passé composé

aff.
*L'inflation **a diminué pendant** deux ans, puis elle est remontée.*

nég.
*L'inflation **n'a pas diminué pendant** deux ans, puis la courbe est descendue régulièrement jusqu'à 5 p. 100.*

aff.
*L'inflation **diminue depuis** deux ans.*
*L'inflation **a diminué depuis** deux ans.*

nég.
*L'inflation **ne diminue plus depuis** deux ans.*
*L'inflation **n'a pas diminué depuis** deux ans.*

Remarque : Le passé composé, possible lorsque l'activité est progressive, aussi bien avec un verbe à la forme affirmative qu'avec un verbe à la forme négative, évoque un bilan.

(2) Alors que *pendant* indique simplement la durée de l'action, *en* indique en même temps la durée de l'action et ses limites (cf. exemple p. 209).

(3) *Pendant* et *depuis/il y a... que/ça fait... que* expriment deux réalités différentes :

_ *pendant,* associé à un verbe au passé composé, situe l'action dans une période complètement passée ;

_ *depuis/il y a... que/ça fait... que* servent à indiquer que l'action se poursuit au moment où on parle, d'où l'utilisation du présent. **J'ai travaillé depuis dix ans** est une formulation surprenante parce qu'elle associe deux notions contraires, celle de passé avec le passé composé et celle de durée en cours avec depuis (pour le cas **il est sorti depuis dix minutes,** voir 3 p. 169).

(4) Quand l'action, située dans la période en cours, est exprimée par un verbe à la forme négative,

_ on utilise le présent pour décrire l'action comme continue, permanente, régulière ;

_ on utilise le passé composé pour décrire l'action comme occasionnelle, intermittente, épisodique, exceptionnelle et pouvant se reproduire de nouveau :

Je n'ai pas pris de vacances depuis trois ans.

Dans ce cas précis, le choix du temps renseigne sur la manière dont l'action est envisagée, mais la forme adéquate est dictée par le contexte.

Ainsi, par exemple :

*Je **n'enseigne plus** depuis cinq ans* évoque une activité continue, tandis que
*Je **n'ai pas enseigné** l'histoire contemporaine depuis cinq ans*
indique qu'enseigner l'histoire contemporaine est une activité qui a lieu de temps en temps, selon les programmes, dans la carrière d'un professeur d'histoire ; d'où l'emploi du passé composé.

De même, un pianiste qui a interrompu sa carrière dira :

> *Je* ne joue plus *depuis dix ans*
> (avant il jouait régulièrement),

tandis qu'une mère de famille qui a appris à jouer du piano pendant sa jeunesse dira :

> *Je* n'ai pas joué *depuis dix ans*
> (avant elle jouait épisodiquement, pour son plaisir).

(5) En général, *ne... plus* accompagne le verbe au présent et *ne... pas* le verbe au passé composé, mais l'inverse est possible.

3. *Pour exprimer la durée postérieure à l'action, on dispose de :*
il y a,   depuis/il y a... que/ça fait... que   *et* pour.

---

il y a   *Je l'ai rencontré(e) à Pékin il y a deux ans.*

Il y a indique le moment de l'action et par conséquent le point de départ d'une durée : on l'emploie toujours avec un temps du passé.
Il y a peut être mis en relation avec **depuis, il y a... que, ça fait... que.**

il y a avec un verbe à la forme affirmative + passé composé	ou	**depuis/il y a... que/ça fait... que** avec un verbe à la forme négative + présent ou passé composé
*On y est **allé** **il y a** dix ans*		*On **n'y va plus** **depuis** dix ans.* *(sous-entendu : on y est allé **il y a** dix ans)* *On **n'y est pas allés** **depuis** dix ans.* *(sous-entendu : on y est allés **il y a** dix ans)*

Il s'agit de deux manières d'exprimer la même réalité : avec **il y a** → action + durée postérieure à l'action ; avec **depuis/il y a... que/ça fait... que** → durée de l'action présentée négativement : ne... plus/ne... pas faire quelque chose.

Avec un *verbe perfectif* ou employé de manière perfective selon le contexte, indiquant une action qui se termine en se faisant : disparaître, arrêter de + infinitif, arriver à la maison, partir pour déjeuner, quitter son mari, etc., on emploie

il y a avec un verbe à la forme affirmative + passé composé	ou **depuis/il y a... que/ça fait... que** avec un verbe à la forme affirmative + passé composé
*Il **est sorti** **il y a** dix minutes*	peut aussi s'exprimer *Il **est sorti** **depuis** dix minutes*

Lire la note 6.

- -

(6) Un verbe employé avec un sens perfectif exprime une action ponctuelle qui se termine en se faisant, d'où l'utilisation du passé composé ou d'un autre temps du passé (sauf l'imparfait) :

Il est parti depuis cinq minutes à peine. et non
Il part depuis cinq minutes.
Mais ce même verbe peut être, selon le contexte, employé dans un sens non per-

fectif, c'est-à-dire que l'action est envisagée comme continue, d'où l'apparition du présent :

> *Depuis vingt-quatre heures, les Français* **partent** *en vacances et on compte de nombreux bouchons sur les routes.*

Ici, *partir en vacances* indique non pas le moment du départ mais le mouvement créé par tous les départs en vacances et le mouvement implique une durée de l'action elle-même.

Par ailleurs, l'action ponctuelle + durée postérieure s'expriment de manière affirmative :

> *Il* **est arrivé** *depuis dix minutes.*

et non

> *Il n'est pas arrivé depuis dix minutes.*

Toutefois, cette forme est possible si l'information est mise en relation avec une autre information, ce qui entraîne le passage du passé composé au plus-que-parfait et un changement de sens de la phrase :

> *Il* **n'était pas arrivé** *depuis dix minutes que sa mère l'appelait au téléphone !*

Cette phrase peut être transformée en :

> *Il était arrivé* **depuis moins de** *dix minutes (depuis dix minutes* **à peine***) et sa mère l'appelait déjà au téléphone !*

Comme on le voit ici, ce n'est pas la négation de l'action (arriver) qui est exprimée mais une modification de la durée. Avec les marques *il y a... que* et *ça fait... que,* on aurait :

> **Il n'y avait pas** *dix minutes qu'il était arrivé que sa mère l'appelait au téléphone !*

ou

> **Ça ne faisait pas** *dix minutes qu'il était arrivé que sa mère l'appelait au téléphone !*

Ces exemples permettent de voir plus clairement que la négation ne porte pas sur l'action mais porte sur la marque de la durée ; *depuis* n'étant pas constitué d'un verbe, comme c'est le cas pour *il y a... que* et *ça fait... que,* on ne peut l'affecter de la négation, d'où le transfert de celle-ci sur le verbe.

Pour s'emploie avec un *verbe perfectif* pour exprimer une durée postérieure à l'action mais une durée qui n'est pas encore terminée :

Il ***est parti pour*** *deux jours.*
Je ***pars pour*** *deux jours.*
Je ***préparerai*** *de quoi manger* ***pour*** *deux jours.*

Ces exemples indiquent que l'action est réalisée (*partir* au passé composé) ou va se réaliser (*partir* au présent ou *préparer* au futur), mais, dans aucun des cas, les *deux jours* ne sont encore écoulés. C'est ce qui distingue l'emploi de **pour** et de **pendant** ; dans la phrase

Il ***est parti pendant*** *deux jours.*

l'action est terminée et les *deux jours* sont complètement écoulés.

NOTES COMPLÉMENTAIRES

1. *Les trois formes* depuis, il y a... que, ça fait... que *sont présentées ensemble parce qu'elles fonctionnent de la même manière :*

> **Depuis** *trois ans, je n'ai pas pris de vacances.*
> **Il y a** *trois ans* **que** *je n'ai pas pris de vacances.*
> **Ça fait** *trois ans* **que** *je n'ai pas pris de vacances.*

Toutefois, la forme *depuis* offre une plus grande souplesse d'emploi que les deux autres :

Dans il y a... que **et** ça fait... que, il y a **et** ça fait **ne peuvent être suivis que :**	_ **d'une durée précise, quantifiée :** *Il y a* ***deux jours*** *qu'il pleut sans arrêt.* *Ça fait* ***deux jours*** *qu'il pleut sans arrêt.*

— **d'une durée imprécise :**

> Il y a **longtemps** que je n'y pense plus !
> Ça fait **longtemps** que je n'y pense plus !

Depuis **permet plus de possibilités ; il peut être suivi :** — **d'une durée précise, quantifiée :**

> Il pleut sans arrêt depuis **deux jours.**

— **d'une durée imprécise :**

> Je n'y pense plus depuis **longtemps !**

— **d'un point de repère dans le passé :**

> Depuis **hier,** depuis **1975,** depuis **la Seconde Guerre mondiale,** etc.

De plus, la forme **depuis que** permet d'introduire un repère dans le passé développé en phrase :

> Depuis **que j'ai une voiture,** je perds moins de temps.

Enfin, **depuis** peut être employé seul pour éviter la répétition de la marque temporelle :

> J'ai reçu une lettre de lui en janvier dernier. **Depuis,** je n'ai aucune nouvelle.

À travers ces exemples illustrant les différents emplois de **depuis,** on remarque que cette forme est mobile dans la phrase, alors que **il y a... que** et **ça fait... que** ne le sont pas :

> **Il y a** des années **qu'**il fait le même cours !
> **Ça fait** des années **qu'**il fait le même cours !
> Il fait le même cours **depuis** des années !
> ou
> **Depuis** des années, il fait le même cours !

Cette possibilité de placer l'expression de la durée (qu'on appelle aussi circonstant de temps) en tête de phrase permet :

— **soit d'insister sur la durée :**

> **Depuis quinze jours,** je n'ai pas quitté ma chambre !

— **soit de mieux répartir les informations dans la phrase complexe :**

> **Depuis deux ou trois ans,** les entreprises qui ont su se moderniser sont capables de faire face à la compétition internationale, même en période de crise.

Le rejet d'un circonstant (de temps, mais aussi de lieu, de cause, etc.) en tête de phrase est un procédé fréquent en français (cf. p. 237).

2. Dans une narration au passé :

Le présent est remplacé par l'imparfait :	Je **travaille** depuis cinq ans comme secrétaire. Je **travaillais** depuis cinq ans comme secrétaire quand j'ai dû cesser toute activité.
Le passé composé est remplacé par le plus-que-parfait :	Je n'**ai** pas **vu** Pierre depuis longtemps. J'ai rencontré Pierre hier. Je ne l'**avais pas vu** depuis longtemps ! Il **est sorti** depuis dix minutes. Il **était sorti** depuis dix minutes quand la police est arrivée.

Quand l'expression de la durée se fait avec *il y a... que* et *ça fait... que,* ces marques se mettent aussi au passé :

> **Il y a** dix ans que je **travaille** comme secrétaire bilingue.
> **Il y avait** dix ans que je **travaillais** comme secrétaire bilingue quand j'ai dû cesser toute activité.

> **Ça fait** longtemps que je **n'ai pas vu** Pierre.
> **Ça faisait** longtemps que je **n'avais pas vu** Pierre.

Avec une précision temporelle, *il y a... que* et *ça fait... que* peuvent se trouver au passé composé ou au futur ; le verbe de la phrase qui suit ne peut être qu'au présent ou au passé composé :

> **Il y a eu** deux ans hier que je travaille ici/que j'ai rencontré Luc.
> **Il y aura** deux ans demain que je travaille ici/que j'ai rencontré Luc.

3. Il y a, *qui indique le moment de l'action, s'emploie toujours avec un temps du passé :*

Avec le passé composé (événement) :	J'**ai eu** mon bac il y a dix ans.
Avec l'imparfait (situation) :	Il y a dix ans, la vie **était** plus facile.
Avec le plus-que-parfait (action antérieure) :	Il y a dix ans, j'**avais** déjà **fini** mes études.

4. Dans l'expression orale ou pour manifester une certaine expressivité, on peut remplacer il y a *par* voilà :

> **Voilà** dix ans, je passais mon bac.

et il y a... que, ça fait... que *par* voilà... que :

> **Voilà** trois mois **que** personne ne sait où il est !

l'élaboration du texte

Cette partie fournit les moyens linguistiques permettant :

_ *d'organiser la présentation des informations* dans le texte ou de *mettre en relation deux informations* soit dans la phrase, soit d'une phrase à l'autre (cf. Éléments de relation, pp. 174 à 200) ;

_ *d'apporter un complément d'information,* précision ou modification (cf. Les modificateurs, pp. 216 à 221, Les nuances de l'expression, pp. 222 à 227) ;

_ *de manipuler l'énoncé* par l'utilisation de procédés grammaticaux et syntaxiques pour mettre en valeur l'information, varier les formulations ou équilibrer la structure de la phrase (cf. Les manipulations de l'énoncé, pp. 232 à 238, Les procédés d'insistance, pp. 228 à 231).

Les moyens linguistiques retenus et classés par catégories sont parmi les plus fréquemment rencontrés dans les manuels récents d'apprentissage du français et utilisés dans l'expression quotidienne (échanges entre Français, articles de journaux, discours à la radio et à la télévision). Dans le cadre proposé, chacun peut ajouter d'autres éléments, d'autres procédés au fur et à mesure de son enrichissement linguistique.

LES ÉLÉMENTS DE RELATION

ADDITION

1. *Pour ajouter une information à l'intérieur de la phrase :*

a. L'énumération :

– avec l'article

> *Ce mois-ci, je dois payer **l'assurance** de la voiture, **le téléphone, les impôts** : ça fait une grosse somme !*

– sans article

> *Les universitaires ne sont pas les seuls à vouloir développer l'enseignement des langues étrangères : **banquiers, scientifiques, hommes d'affaires** jugent nécessaire l'apprentissage de la langue du pays avec lequel ils sont en relation.*

Remarques :
1. L'énumération peut être placée entre parenthèses :

*Les frais de séjour **(logement, nourriture, transports)** sont pris en charge par l'organisme qui vous accueille.*

2. L'énumération peut se terminer par **etc.** ou par des points de suspension (...) pour indiquer que la liste n'est pas terminée :

*Vous avez le choix entre plusieurs sports de plein air : tennis, canoë, volley-ball, **etc.**, que vous pourrez pratiquer le soir ou pendant les week-ends.*

Depuis qu'il est à la retraite, il lit, visite des musées, apprend l'italien ... Il ne s'ennuie vraiment pas !

3. L'énumération peut être annoncée par le verbe ***comprendre*** ou un équivalent :

*Le cycle d'études **comprend** : deux années préparatoires, une année de spécialisation et une année de stage en milieu professionnel.*

b. La coordination :

– et

> *Les enseignants **et** les chercheurs sont unanimes à condamner les nouvelles dispositions concernant leur service.*

– ainsi que

> *N'oubliez pas d'apporter votre passeport **ainsi que** votre carte d'étudiant.*

_ **ou, ou bien**

> Qu'est-ce que tu préfères : du thé **ou** du café ?
> Il n'est jamais content : **ou** il a trop de travail
> **ou** on l'empêche de voyager **ou bien** ses
> collaborateurs sont nuls... Quel caractère !

_ **soit... soit (soit que... soit que)**

> Je partirai **soit** en avion, **soit** en train mais pas
> en voiture !

_ **ni... ni**

> Ce livre est introuvable : il n'est **ni** chez moi **ni**
> chez mes parents.

Remarques : La coordination exige un parallélisme de
construction :

> Je voudrais **un** sandwich au jambon **et un** café, s'il vous
> plaît.
> **Que vous** acceptiez ou **que vous** refusiez, vous devez
> m'avertir par lettre.
> Je ne cherche **ni** à plaisanter **ni** à dramatiser.

Quand **et** et **ou** coordonnent des circonstancielles (introduites **par quand, parce que, si,** etc.), on évite de répéter
le circonstant qu'on remplace par **que** :

> **Quand vous êtes malade** et **que** vous devez garder le lit,
> vous appréciez la tranquillité.
> **Si vous avez un problème** ou **que** vous vous sentez seul,
> téléphonez-moi.

2. *Pour mettre en valeur l'information supplémentaire :*

_ **et**

> L'incident a eu lieu à la sortie du métro à une heure de grande affluence
> **et** personne n'a réagi.

_ **(et, mais) aussi/également**

> Les parents voudraient que les programmes d'enseignement à l'école primaire
> soient allégés. Ils réclament **également** l'organisation d'activités sportives
> et culturelles pendant les périodes de petites vacances.

_ **(et, ou) encore**

> Nous vous proposons plusieurs formules : « Vacances tranquilles » où tout
> est organisé par nos soins, « Voyage-Hôtel » qui vous permet de faire votre
> propre programme de visites, **ou encore** « Évasion » qui n'assure que le
> transport.

_ **(et) puis**

> L'appartement est bien, pas loin de l'école des enfants, **et puis** le loyer est
> tout à fait convenable.

– **(et, ou) même**

> C'est elle qui a tout fait : elle a nettoyé la maison, mis la table **et même** préparé le dessert !

– **de plus, et en plus** (niveau de langue plus familier)

> J'ai refusé ce poste parce qu'il faut commencer à travailler trop tôt le matin. **De plus,** on m'obligeait à prendre mes vacances en septembre...

> N'achète pas ces fraises : elles sont trop chères **et en plus** elles ne sont pas mûres.

– **outre, en outre**

> **Outre** les difficultés financières qu'il n'arrive pas à surmonter, il a maintenant de sérieux ennuis de santé.

> Je vous demanderai de faire quatre heures de ménage par jour ; vous devrez, **en outre,** garder ma fille le soir quand je dois sortir.

– **(et, mais) surtout**

> Son ambition, c'est de devenir ingénieur **mais surtout** de succéder à son père à la tête du groupe T. L.

– **(et, mais) particulièrement/en particulier, notamment**

> Tout le monde est touché par la crise économique **mais particulièrement** les pays non industrialisés.

> La diminution du prix des matières premières, **en particulier** du pétrole, a favorisé le recul de l'inflation.

> Emportez des vêtements chauds **et notamment** un bon équipement pour marcher dans la neige.

3. *Pour annoncer une information :*

– **d'autre part**

> Je n'ai pas aimé ce film dont le sujet n'a rien à voir avec le roman qui l'a inspiré. **D'autre part,** les acteurs sont mal choisis ou mal dirigés...

– **par ailleurs**

> Votre fils a été absent trois fois de suite sans explications. **Par ailleurs,** ses résultats scolaires sont nettement moins bons qu'au premier trimestre. Voilà pourquoi je vous ai demandé de venir me voir.

– **comme**

> Prenez le confit de canard aux haricots blancs, c'est la spécialité de la maison. **Comme** vin, je vous conseille le cahors 1982 qui est excellent.

– **en ce qui concerne**

> Voici votre billet d'avion et votre réservation d'hôtel. **En ce qui concerne**

vos frais de séjour, je vous donne la moitié du montant aujourd'hui et vous recevrez l'autre moitié sur place.

— **à propos (de)**

J'ai croisé Marianne tout à l'heure, elle partait à l'aéroport chercher son père. — **À propos de** père, le tien a téléphoné ; tu dois le rappeler avant ce soir.

— **pour**

J'ai réglé votre problème de passeport. **Pour** la carte de séjour, vous devez aller vous-même à la préfecture de police.

— **quant à**

Le gouvernement a donné la priorité à la lutte contre l'inflation et de bons résultats ont été enregistrés. **Quant au** chômage, il commence à diminuer sensiblement, mais la situation reste préoccupante.

— **en matière de**

C'est une bonne école de gestion ; **en matière d'**économie, l'enseignement n'est pas à la hauteur.

— **sur le plan**

Un séjour de trois mois aux États-Unis lui permettra d'améliorer son anglais et, **sur le plan** personnel, développera un peu son sens des responsabilités.

— **sur ce point**

Après une discussion sur les projets politiques, économiques et sociaux, la question des otages a été soulevée. **Sur ce point**, le ministre a souhaité ne faire aucun commentaire.

— **là-dessus**

Je lui interdis d'aller à l'école à bicyclette. **Là-dessus**, je ne cèderai pas !

— **là encore**

Après la campagne anti-alcool, nous avons lancé une campagne antitabac qui s'adresse en particulier aux jeunes. **Là encore**, nous essayons d'éduquer sans moraliser.

— **des solutions/il y en a plusieurs**

Les limitations de vitesse ne sont pas respectées. **Des solutions, il y en a plusieurs** :
— faire des contrôles plus systématiques,
— augmenter le montant des procès-verbaux,
— retirer le permis de conduire après deux infractions.

– **autre/signe, avantage, solution, etc.**

Le sport s'est démocratisé au cours des vingt dernières années. Les amateurs de courses à pied, de tennis et même de golf se sont multipliés. **Autre signe :** *l'envahissement des pistes de ski dès les premiers week-ends de l'hiver.*

– **indice/phénomène révélateur**

Les récents attentats qui ont eu lieu dans notre pays vont décourager de nombreux touristes étrangers. **Un indice révélateur :** *la baisse considérable des réservations de billets d'avion par rapport à l'an dernier.*

– **la question rhétorique**

Les présidents d'université se sont mis d'accord pour limiter le nombre d'inscriptions en première année. **Les étudiants vont-ils réagir à cette mesure ?** *Probablement par des grèves et des manifestations dans les rues comme cela se passe habituellement.*

4. *Pour organiser la présentation de plusieurs informations :*

(tout) d'abord... ensuite... enfin...
(tout) d'abord... aussi/également/puis... enfin...
premièrement... deuxièmement... enfin...
etc.

Vous remplissez **d'abord** *ce dossier d'inscription, que vous rapporterez ici le plus rapidement possible.* **Ensuite,** *vous irez payer vos frais de scolarité au service financier, bureau 205.* **Enfin,** *vous viendrez retirer votre carte d'étudiant quand vous aurez reçu par courrier l'avis qu'elle est prête.*

INCLUSION/EXCLUSION

Inclusion	Exclusion
– avec	**– sans**
Avec *les charges et le chauffage, ça me fait un loyer trop élevé.*	*Le loyer* **sans** *les charges s'élève à 3 000 francs par mois.*
– compris	**– non compris**
Prix du repas : 58 francs, service **compris.**	*C'est un restaurant très cher : il faut compter 200 francs par personne, vin et service* **non compris.**
– même	**– sauf**
Elle refuse le moindre cadeau. **Même** *un livre !*	*Je m'entends bien avec tous mes collègues* **sauf** *avec elle.*
– même + circonstant (si, quand, ...)	**– excepté**
Elle est décidée à reprendre ses études, **même si** *son mari s'y oppose.*	*Je travaille tous les jours* **excepté** *le jeudi après-midi.*

– **inclure/inclus**

*Désormais, le magasin sera fermé du samedi midi au lundi **inclus**.*

– **exclure/exclu**

*Toute possibilité de modifier le programme est **exclue**.*

– **tenir compte de qqch**

*En élaborant ce projet, j'ai **tenu compte** de vos remarques.*

– **ne pas tenir compte de qqch**

*Dans votre projet de budget pour l'année prochaine, vous **n'avez pas tenu compte** de l'inflation.*

– **compte tenu de**

***Compte tenu du** résultat des dernières élections, la politique du gouvernement sera modifiée.*

– **compte non tenu**

*Voilà ce que vous coûtera votre séjour au Kenya, **compte non tenu** des frais de nourriture.*

– **en comptant, en tenant compte de**

*J'ai 18 étudiants dans mon cours **en comptant** les auditeurs libres.*

– **sans compter**

*Nous serons douze, **sans compter** les enfants.*

– **pendant**

*Chez nous, les réunions syndicales ont lieu **pendant** les heures de travail.*

– **en dehors de**

*Il exige que les réunions syndicales aient lieu **en dehors des** heures de travail.*

Expression de l'inclusion seule :

– **être composé de**

Le jury **est composé d'**universitaires et de professionnels.

– **comprendre**

Le programme d'études **comprend** 450 heures de cours et 150 heures de stage.

– **compter**

Notre association **compte** un grand nombre d'étrangers, anciens élèves de l'École.

– **être fait de**

C'est un plat **fait de** viande, de légumes et de pâtes.

– **parmi**

Il y aurait neuf Français **parmi** les victimes.

– **dont**

Le directeur nous a fait toutes sortes de promesses, **dont** celle d'informatiser la gestion du personnel.

- **quantitatif + de ces.../d'entre eux, elles**

   *Nous formons beaucoup d'étudiants, mais **la plupart d'entre eux** auront du mal à trouver des débouchés.*

   *Nous faisons de très grosses recettes, mais seulement **10 p. 100 de ces** recettes entrent dans notre budget.*

- **sur + nombre, ...**

   ***Sur 1 200** candidats, **150** seulement seront admis.*

PARALLÉLISME

- **certains..., d'autres...**

   *L'avis des employés est très partagé. **Certains** sont ravis qu'on ouvre une cafétéria dans l'établissement, **d'autres** préféraient le système des Tickets-Restaurant qui leur permettait de manger où ils voulaient en ville.*

- **certains... Il y a aussi ceux + pronom relatif...**

   *Faire travailler tous les élèves au même rythme est difficile. **Certains** ont besoin d'explications supplémentaires. **Il y a aussi ceux qui** rêvent...*

- **pour certains... Il y en a d'autres qui**

   *Dans l'ensemble, les locataires ont mal réagi devant cette dépense imprévue. Pour certains, il faudra étaler le paiement ; mais **il y en a d'autres** qui ne seront jamais en mesure de payer !*

- **pour..., comme pour...**

   ***Pour** Pierre, **comme pour** tous ses camarades de classe d'ailleurs, cette réforme, qui intervient juste un an avant le bac, est catastrophique.*

- **... dans les autres cas...**

   *Vous pouvez vous inscrire directement si vous avez une licence de lettres. **Dans les autres cas,** vous devez avoir un entretien avec le professeur responsable du programme.*

- **l'un..., l'autre... (l'une..., l'autre..., les un(e)s..., les autres...)**

   *Ce sont deux frères, mais ils ne se ressemblent pas du tout : **l'un** est grand et brun, **l'autre** est plutôt petit et très blond.*

- **soit..., soit... (soit que..., soit que...)**

   *J'ai vaguement entendu parler de cette histoire extravagante, **soit** à la télévision, **soit** à la radio, je ne sais plus.*

   *Il n'a rien compris : **soit qu'**il n'a pas écouté, **soit qu'**il a, ce que je crois, l'esprit lent !*

– **plus... plus... (moins... moins..., plus... moins...)**

> **Plus** je pense à ce cambriolage, **plus** je soupçonne un familier de la maison.

> **Plus** on approche de l'examen, **moins** on est sûr de soi.

– **parallèlement, parallèlement à**

> Le français est enseigné à l'université, surtout dans les programmes de maîtrise. **Parallèlement à** cet enseignement de haut niveau, divers établissements ont créé des cours de français commercial accompagnés de cours sur la civilisation française.

OPPOSITION/RESTRICTION/CONCESSION

Il existe de nombreux procédés pour opposer deux éléments, deux informations, deux idées. Mais la notion générale d'opposition peut se diviser en :

– **opposition totale**

> Je n'habite pas à Paris **mais** dans la proche banlieue.

– **restriction :** la marque introduit un contenu négatif

> Il gagne bien sa vie **mais/et pourtant** il se plaint tout le temps.

– **concession :** la marque introduit un contenu positif

> Il n'a pas un gros salaire **mais/et pourtant** il fait des économies.

On constate donc que les mêmes marques peuvent indiquer l'opposition, la restriction ou la concession selon le contenu sémantique de la phrase globale. Toutefois, pour la clarté de la présentation des marques, on a regroupé ci-dessous celles qui sont spécifiques à l'expression de l'opposition et de la restriction, puis celles qui sont communes à l'expression de la restriction et de la concession.

1. *Opposition :*

– **pas**

> Il accepte peut-être. Moi **pas** !

– **non (pas), non (plus)**

> Parlez franchement et **non (pas)** par allusions !

> Désormais, nous irons en vacances à la montagne et **non plus** sur la Côte d'Azur, où il y a trop de monde !

– mais

Comme cadeau, elle ne veut pas une robe **mais** des jeans.

– sinon

Réserve ton billet d'avion aujourd'hui, **sinon** tu n'auras pas de place !

– autrement

Mange ! **Autrement,** je me fâche !

– au contraire

Tu ne me déranges pas du tout. **Au contraire,** ta présence me ravit.

– en revanche

Il nous est impossible de vous donner directement de l'argent pour monter votre spectacle. **En revanche,** nous pouvons prendre en charge une partie de la publicité au moment de sa sortie.

– par contre

Il a de bons résultats en maths et en sciences. **Par contre,** il est faible en français.

– contre

Le nombre des chômeurs a nettement augmenté : 2 300 000 en 1985 **contre** 1 800 000 cinq ans plus tôt.

– au lieu de

Aide-moi **au lieu de** me regarder !

– en échange (de), échanger qqch/qqn contre

Ils nous prêtent leur maison en Bretagne au mois d'août, et, **en échange,** ils prennent notre camping-car pour faire un voyage en Italie.

Le musée a donné deux statues **en échange d'**un tableau qui complétait sa collection.

Il a **échangé** sa collection de timbres **contre** un bijou pour sa petite amie.

– alors que

On me propose d'aller enseigner le français à l'étranger **alors que** je n'ai rien demandé !

– tandis que

La natalité progresse trop dans certains pays du tiers monde **tandis que** la situation démographique devient préoccupante dans les pays industrialisés, qui voient leur population vieillir.

2. Restriction

– ne... que

*Le matin, je **ne** prends **qu'**une tasse de café et une tartine beurrée.*

– seulement

*Cette année, nous prendrons **seulement** deux semaines de vacances.*

– uniquement

*Il sort **uniquement** pour acheter son journal !*

– (tout) simplement

*Elle téléphonait pour avoir de nos nouvelles, **tout simplement**.*

– juste

*J'aimerais bien avoir la voiture. **Juste** pour aller au supermarché cet après-midi.*

– le seul, la seule, les seul(e)s

***Le seul** problème qui nous reste à régler, c'est celui de la répartition des vacances entre les trois secrétaires.*

– réserver (qqch pour qqn), être réservé à qqn

*Ce parking **est réservé aux** personnes handicapées.*

3. Restriction-Concession

Les éléments servant à établir une relation de restriction-concession entre deux informations sont très nombreux en français et très utilisés. Certains de ces éléments exigent l'emploi du subjonctif : ils ont été présentés pages 147 à 149, accompagnés d'exemples et de remarques : seule la liste sera reproduite pour mémoire ci-dessous. L'expression de la restriction-concession s'appuie sur bien d'autres marques qui sont fournies avec exemples à la suite de la première liste.

a. Liste des marques de la restriction-concession exigeant l'emploi du subjonctif (cf. pages 147 à 149) :

bien que, quoique, encore que (encore faut-il que)
que... ou que..., que... ou non ..., que ce soit... ou..., soit que..., soit que...
pour/si/aussi + adjectif + que..., quelque + adjectif + que...,
qui que..., quoi que..., où que..., quel(s)/quelle(s) que + être..., quelque(s) + nom + que...
à moins que...

b. Autres marques de la restriction-concession :

_ préposition + tout + nom

> Dans notre club de vacances, nous accueillons des gens *de tout* âge.
> (= quel que soit leur âge – de n'importe quel âge)

_ (préposition) + n'importe quel(s)/ quelle(s) + nom

> Je n'accepterai pas *n'importe quelles* conditions !
> C'est un sport que vous pouvez pratiquer *à n'importe quel* âge.
> (= quel que soit votre âge/à tout âge)

_ mais

> Je vous fais cadeau de trois mois de location, *mais* vous refaites vous-mêmes les peintures.

_ (mais) évidemment/naturellement/ bien sûr/bien entendu

> Les travaux devaient être terminés avant Noël, *mais naturellement* il y a eu le mauvais temps, les congés de maladie de deux ouvriers, etc., et nous sommes toujours à l'hôtel !

_ évidemment... mais..., naturellement... mais..., bien sûr... mais..., bien entendu... mais..., certes... mais... (niveau d'expression plus recherchée)

> Nous habitons à la campagne. *Évidemment,* c'est fatigant pour mon mari qui doit faire le trajet en voiture tous les jours pour aller à son travail, *mais* les enfants sont tellement heureux ici !

> Avons-nous tous les mêmes chances de réussir dans la vie ? *Certes* l'école joue un rôle primordial, *mais* il ne faut pas sous-estimer l'influence du milieu dans lequel la naissance nous installe.

_ quand même

> Il trouve que je conduis très mal, mais il me prête *quand même* sa voiture !

_ tout de même

> Je l'aime bien, mais je ne vais *tout de même* pas accepter un comportement aussi stupide !

– **malgré tout**

> *Il a les diplômes requis et des qualités person-*
> *nelles appréciables : je le trouve **malgré tout***
> *très jeune et surtout moins expérimenté que la*
> *candidate précédente.*

– **malgré + nom, en dépit de + nom**

> ***Malgré** une meilleure exploitation de ses res-*
> *sources naturelles, c'est un pays qui n'arrive pas*
> *à améliorer le niveau de vie de ses habitants.*
>
> *Il arrive à dormir **en dépit du** bruit infernal de*
> *la rue !*

– **avoir beau + infinitif**

> ***J'ai eu beau** lui dire qu'il perdrait son temps,*
> *il n'a pas voulu me croire !*

– **quitte à + infinitif, même si**

> *Nous avons voté en faveur du projet **quitte à***
> *revenir sur certains points de détail plus tard.*
> *(= même s'il faut revenir sur...)*

– **(et) pourtant**

> *Il n'est jamais content. **Et pourtant,** je fais tout*
> *ce que je peux pour lui faciliter la vie !*

– **et**

> *Il m'avait promis qu'il serait là **et** il n'est pas*
> *venu !*

– **toutefois**

> *Le voyage officiel que le président de la*
> *République doit effectuer en Espagne a été*
> *annoncé ce matin. **Toutefois,** les dates n'ont pas*
> *encore été précisées.*

– **cependant**

> *Ici, les problèmes de discipline sont rares. Il arrive*
> ***cependant** que nous ayons à punir. Dans ce cas,*
> *l'élève est exclu huit jours de l'établissement.*

– **néanmoins** (style d'expression plus recherchée que pour l'emploi de **toutefois** ou
cependant)

> *Vous verrez, c'est un homme qui aime le pouvoir,*
> *très exigeant avec ses collaborateurs et **néan-***
> ***moins** extrêmement gentil.*

_ et encore

Mon roman n'avance pas ! J'écris deux, trois pages par jour, **et encore** pas tous les jours...

_ du moins

Ce week-end, il va aider un copain à déménager :
{ **du moins,** c'est ce qu'il m'a dit !
{ **du moins** est-ce ce qu'il m'a dit !

_ au moins

Il fera un stage d'informatique au mois de juillet : il n'apprendra peut-être pas grand-chose mais **au moins** ça l'occupera !

_ il n'en + reste + pas moins que + indicatif

Je sais qu'il a des ennuis d'argent. **Il n'en reste pas moins qu'**il me doit 2 500 francs dont j'ai vraiment un besoin urgent.

_ en tout cas

Je ne sais pas s'il l'a fait exprès ou par inattention. **En tout cas,** je suis très mécontente !

_ sinon

Donne-moi du vin si tu en as, **sinon** de l'eau.

_ à défaut

Auriez-vous une chambre avec salle de bains ou, **à défaut,** avec douche ?

_ sauf, sauf si

Je viendrai en voiture, **sauf s'**il fait trop mauvais temps.

_ il suffit que + subj.

Les formalités sont simples : **il suffit que** vous alliez à la mairie de votre quartier avec une pièce d'identité et une justification de domicile.

_ si... ... (n'en + verbe + pas moins)...

Si nous comprenons les raisons qui vous ont poussé(s) à agir ainsi, { nous dénonçons vigoureusement
{ nous **n'en dénonçons pas moins** vigoureusement
vos pratiques contraires aux droits de l'homme.

– or

> Nous avons préparé un projet sur la base du texte de loi de 1984. *Or,* ce texte est aujourd'hui remis en question par les nouvelles autorités gouvernementales ; il nous faut donc attendre les nouvelles dispositions.

Remarque : **Or** s'utilise en général pour soutenir une démonstration en trois parties :
1. Information – 2. *Or* qui introduit une concession ou une restriction – 3. Commentaire (celui-ci peut être sous-entendu).

– heureusement

> C'est un pays où les conditions de vie sont très difficiles. *Heureusement,* les gens sont merveilleux...

– malheureusement, hélas

> L'appartement est très grand, bien situé, pas cher. *Malheureusement,* il est au 6e étage sans ascenseur !

> J'aurais bien aimé t'aider. *Hélas,* je ne comprends rien aux mathématiques modernes !

DÉDUCTION/CONSÉQUENCE

– alors

> Cette année, il n'a pas de bons rapports avec son professeur d'anglais, *alors* il ne travaille pas.

– donc

> Je le connais depuis longtemps ; je peux *donc* témoigner de sa parfaite honnêteté.

– par conséquent

> La date limite de dépôt des candidatures était le 15 mai. Son dossier n'est pas arrivé à temps. *Par conséquent,* il ne sera pas examiné par la commission.

– en conséquence

> Le bâtiment nécessite des travaux importants. *En conséquence,* il sera fermé pendant toute la période du mois de juillet.

– et

> *Elle n'a pas arrosé mes plantes pendant mon absence **et** elles sont toutes mortes !*

– ainsi (suivi le plus souvent de l'inversion du sujet et du verbe)

> *Le travail devenait trop pénible pour lui. **Ainsi** a-t-il été obligé de prendre sa retraite avant l'âge.*

– de ce fait

> *La réunion s'est prolongée jusqu'à 20 h 30 ; **de ce fait,** j'ai manqué le début du concert.*

– aussi (suivi le plus souvent de l'inversion du sujet et du verbe)

> *Certains commerçants ont reçu des lettres de menace ; **aussi** ont-ils décidé de faire appel à la police pour surveiller leurs magasins nuit et jour.*

– si bien que + indicatif

> *Le ministre de la Culture donne, depuis deux ans, la priorité à la création artistique, **si bien que** de nombreuses petites troupes théâtrales peuvent vivre et prospérer.*

– de sorte que + indicatif

> *Je n'ai pas payé mes impôts avant la date limite, **de sorte que** je vais payer maintenant 10 p. 100 en plus !*

– tellement que/si que

> *Il a **tellement** insisté **que** j'ai fini par céder.*

– être tel que + indicatif/ne pas être tel que + subjonctif

> *Les relations entre eux **sont telles qu'**ils ne pourront jamais se mettre d'accord.*
>
> *La situation **n'est pas telle qu'**il faille s'inquiéter.* (La forme négative du verbe entraîne l'emploi du subjonctif.)
>
> *J'étais dans **une telle** inquiétude **que** je n'ai pas pu m'empêcher de réveiller tout le monde !*

– à tel point que/à ce point (que)

> *Tout ce qu'il fait est bizarre. **À tel point que** je me demande s'il n'a pas perdu la tête !*

– d'où + nom

> *La situation est catastrophique. **D'où** l'ensemble des mesures, dont certaines ne plairont pas aux employés, prises par la direction pour sauver l'entreprise.*

– **ce qui explique**

> *C'est un élève qui vit dans un milieu familial instable, **ce qui explique** en grande partie l'irrégularité de ses résultats.*

– **c'est pourquoi/c'est pour cette raison que/c'est la raison pour laquelle**

> *Le projet prévoit que l'autoroute passera juste en bordure du village : **c'est pourquoi** la population a décidé d'envoyer une délégation à Paris pour discuter avec le ministre de l'Environnement.*

– **être le résultat de + nom/il en résulte + nom ou que + indicatif**

> *Les ventes ont progressé de 10 p. 100 dans l'année ; **c'est le résultat d'**une politique commerciale mieux adaptée à la situation actuelle du marché.*

> *Nous avons créé un comité d'accueil des étudiants étrangers. **Il en résulte** une meilleure répartition de ceux-ci dans les universités de Paris et de province.*

– **en déduire que**

> *Il n'a pas répondu ; j'**en déduis que** notre proposition ne l'intéresse pas.*

– **sous peine de + nom ou infinitif**

> *Les sportifs doivent passer au contrôle antidopage **sous peine d'**être éliminés de la compétition.*

CAUSE/ORIGINE

– **parce que**

> *Il se sent isolé **parce qu'**il ne parle pas suffisamment bien la langue du pays.*

Remarque : **Parce que** est quelquefois sous-entendu.

> *Je n'ai pas pu entrer. J'avais oublié ma carte !*

– **c'est que/ce n'est pas que + subjonctif/non que + subjonctif**

> *Si je n'ai rien dit, **c'est que** j'étais d'accord !*
> *(= c'est parce que j'étais d'accord)*

> *Je préfère rester à la maison. **Ce n'est pas que** je sois fatigué(e), mais j'ai besoin d'être un peu seul(e).*
> *(= ce n'est pas parce que je suis fatigué(e), mais...)*

> *Ne lui confiez pas ce travail. **Non qu'**il soit incapable de le faire, mais il est trop occupé en ce moment.*

– **car**

> *Faites vos réservations sans tarder, **car** le nombre de places est limité.*

– puisque/comme/participe présent

*On ne peut rien prévoir **puisqu'**on ne connaît pas les dates des vacances.*

***Comme** il n'a rien dit, je suppose qu'il n'est pas encore au courant des ennuis qui l'attendent !*

Tract :

*La direction refus**ant** de prendre en considération nos revendications, nous demandons à l'ensemble du personnel d'observer une heure d'arrêt de travail demain de 11 heures à midi.*
(= puisque la direction refuse/a refusé..., = comme la direction refuse/a refusé...)

Remarques :

1. **Parce que** et **car** sont employés lorsque la cause est donnée comme une simple explication :

*Je pars **parce que** je ne me sens pas très bien*

tandis que **puisque/comme/participe présent** présentent la cause comme un argument qui justifie la conséquence :

***Puisque** personne ne m'écoute, je m'en vais !*

2. **Puisque** peut être placé au début de la phrase ou à l'intérieur :

*Tu n'as pas à t'inquiéter **puisqu'**il dit que tout va bien.*

Comme et le **participe présent** sont toujours placés en tête de phrase.

– pour + infinitif passé (après un verbe à la forme passive)

*Pierre est exclu trois jours du lycée **pour avoir distribué** des tracts pendant la récréation.*
(= parce qu'il a distribué...)

– à cause de + nom

*La promenade en bateau est annulée **à cause du** vent.*

• causer

*La panne d'électricité **a causé** des perturbations énormes, surtout dans la capitale.*

• être la cause de + nom

*L'immeuble a été entièrement détruit. Il semble qu'une imprudence **soit la cause de** l'incendie.*

• avec

*Je ne prends plus le métro le soir. **Avec** tout ce qu'on raconte...*
(= à cause de tout ce qu'on raconte sur les risques d'agression)

• pour + nom

*Il est tenu à l'écart **pour** son caractère !*
(= à cause de son caractère impossible)

– grâce à + nom

*Nous avons obtenu satisfaction **grâce à** l'intervention d'un collègue qui connaissait bien le directeur.*

- **devoir qqch à qqn/qqch**

Si j'ai passé d'excellentes vacances, je le **dois à** tes amis qui ont été si sympathiques.
(= c'est grâce à tes amis qui...)

- **avec**

Avec cette lettre de recommandation, vous n'aurez aucun problème.
(= grâce à cette lettre...)

- **pour + nom**

Il est surtout connu **pour** ses pièces de théâtre.
(= grâce à ses pièces de théâtre)

– **du fait de + nom** ou **que + indicatif**

L'affaire n'est toujours pas réglée **du fait que** le dossier est entre les mains d'un fonctionnaire totalement incompétent.

– **étant donné + nom** ou **que + indicatif**

Étant donné le nombre de cours à suivre, je dois préparer le diplôme en deux ans.

– **vu + nom** ou **que + indicatif**

Vu qu'il n'a pas encore fait son service militaire, personne ne veut l'embaucher.

– **en raison de + nom**

La route est coupée **en raison des** inondations.

– **d'autant plus que, d'autant plus... que + indicatif**

La disparition de ce journal est regrettable, **d'autant plus qu'**il touchait des lecteurs qu'aucun autre journal ne touche.

Sa proposition est **d'autant plus** intéressante **qu'**elle règle en même temps le problème de la garde des enfants pendant les vacances.

– **sous prétexte que + indicatif** (nuance de doute sur la vraisemblance de la cause)

Il n'est pas venu travailler hier **sous prétexte que** sa mère était malade !

– **de peur que + subjonctif** ou **de + infinitif**

J'hésite à venir vous voir **de peur de** vous déranger.
(= parce que j'ai peur de vous déranger)

– **de crainte que + subjonctif** ou **de + infinitif**

Elle veut m'accompagner **de crainte que** je (ne) fasse des bêtises !
(= parce qu'elle craint que je (ne) fasse des bêtises)

- expliquer/s'expliquer par

    *Son attitude **s'explique par** le désir qu'il a d'atteindre rapidement les sommets de la carrière.*

- provoquer

    *C'est la corruption généralisée dans le pays qui **a provoqué** la chute du président.*

- entraîner

    *La suppression du contrôle des prix **a entraîné** une forte poussée de l'inflation.*

- être à l'origine de + nom

    *On a arrêté deux personnes, mais on ne sait pas si ce sont elles qui **sont à l'origine de** la fusillade.*

- sous l'impulsion de qqn

    *Le centre culturel a été créé **sous l'impulsion de** quelques enseignants soucieux d'occuper les jeunes pendant les périodes de vacances scolaires.*

- en tant que + nom/comme

    *Il fait partie du jury **en tant qu'**écrivain.*
    *Il est plus connu **comme** chanteur que **comme** acteur de cinéma.*

BUT/FINALITÉ

- pour + infinitif, pour que + subjonctif

    *Je vais passer mes vacances avec eux **pour** leur faire plaisir.*

    *Vous devez vous arranger **pour que** tout soit prêt dans deux jours.*

Remarque : Dans la séquence **pour** + infinitif, **pour** est fréquemment supprimé après un verbe de déplacement comme : partir, aller, retourner, venir, revenir, passer, entrer, rentrer, sortir, monter, descendre, rester :
*Il est **passé prendre** ses affaires dans la soirée.*
*(= il est passé **pour** prendre ses affaires...)*

- afin de + infinitif, afin que + subjonctif

    *La bibliothèque sera désormais ouverte jusqu'à 21 heures **afin de** faciliter les conditions de travail des étudiants salariés.*

    *Vérifiez les comptes devant lui **afin qu'**il n'y ait aucune contestation possible.*

- de manière à + infinitif, de manière (à ce) que + subjonctif

    *Elle a décidé de travailler à mi-temps **de manière à** pouvoir s'occuper plus sérieusement de ses enfants.*

*Il faut que nous prenions des mesures **de manière (à ce) que** le budget soit équilibré.*

– de façon à + infinitif, de façon (à ce) que + subjonctif

> *Il s'est arrangé **de façon à** ne pas travailler le samedi matin.*
> *Les listes sont établies **de façon (à ce) que** des gens de milieux socioculturels très différents puissent se rencontrer.*

– de sorte que + subjonctif (cf. exemple commenté p. 119)

> *Chaque copie d'examen sera corrigée par deux professeurs **de sorte qu'**il n'y ait pas de notes injustement attribuées.*

– faire en sorte que + subjonctif

> *Je sais qu'ils se détestent. Aussi ai-je fait **en sorte qu'**ils ne soient pas à la même table !*

– à une/d'autre(s) fin(s)

> *Il s'agit d'un document d'information strictement réservé au personnel ; il ne peut, en aucun cas, être utilisé **à d'autres fins.***

– la finalité de qqch, avoir pour finalité + nom ou de + infinitif

> ***La finalité de la** réunion n'est pas de critiquer la structure qui nous est imposée mais de prévoir le programme d'actions pour l'année prochaine.*
> *(= la réunion **a pour finalité**, non pas **de** critiquer..., mais **de** prévoir...)*

– le but de qqch, avoir pour but + nom ou de + infinitif

> *La réforme **a pour but d'**amener au moins 80 p. 100 des jeunes au baccalauréat avant l'an 2000.*
> *(= **le but de la** réforme est d'amener...)*

– dans le but de + infinitif

> *Nous avons créé ce bulletin **dans le but de** mieux informer les consommateurs sur leurs droits.*

– en vue de + nom

> *Il fait des promesses complètement démagogiques **en vue des** prochaines élections.*

– destiner qqch à + nom, être destiné à + infinitif

> *Ce cours **est destiné aux** étudiants étrangers qui préparent un doctorat.*

CONDITION/HYPOTHÈSE – ÉVENTUALITÉ

1. *Condition :*

– si

> **Si** *tu le vois, dis-lui bonjour de ma part.*

Remarques :
1. La construction avec **si** exige une concordance des temps :

> *Si tu **viens**, avertis-moi à l'avance.*
> *Si tu **viens**, nous **ferons** une promenade en bateau.*
> *Si tu **venais**, nous **ferions** une promenade en bateau.*
> *Si tu **étais venu(e)**, nous **aurions fait** une promenade en bateau.*

2. **Si** peut être supprimé :

> *Encore une fois et vous ne remettrez pas les pieds ici !*
> *(= Si vous faites cela encore une fois, vous ne remettrez pas les pieds ici !)*

3. Lorsqu'on veut exprimer deux conditions coordonnées par **et**, on utilise la construction **si ... et que + subjonctif** :

> *Si Pierre téléphone et **qu'il fasse** allusion à mon voyage, dis-lui que tu n'es pas au courant.*

– équivalents à si

• *avec*

> **Avec** *une voiture, je gagnerais du temps.*
> *(= Si j'avais une voiture, je gagnerais du temps.)*

• *sans*

> **Sans** *lui, je n'aurais jamais eu ce poste !*
> *(= S'il ne m'avait pas aidé(e), je n'aurais jamais eu ce poste !)*

• *gérondif : en -ant*

> **En allant** *le voir, tu te mets/mettrais dans une situation délicate.*
> *(= si tu vas le voir/si tu allais le voir, tu...)*

Remarque : **Avec, sans, en -ant** expriment la condition lorsqu'ils sont associés à un verbe au conditionnel (présent ou passé) ou au futur ; le présent n'étant possible ici qu'avec le gérondif.

– à condition de + infinitif, à condition que + subjonctif

> *C'est un métier passionnant **à condition d'**être célibataire !*

> *Vous pouvez embaucher un jeune étudiant qui veut travailler pendant les vacances **à condition qu'**il ait plus de 16 ans.*

– pourvu que + subjonctif

> *J'accepte qu'elle sorte le soir avec des copains **pourvu que** je sache où ils vont.*

Remarque : **Pourvu que** exprime aussi le souhait :

> *Pourvu qu'il vienne !*

– du moment que + indicatif

*Ça ne me gêne pas du tout que ma secrétaire parte avant l'heure **du moment que** le travail est fait !*

2. Hypothèse – Éventualité

– emploi du conditionnel

*La personne qui accepte**rait** de prendre en charge le vieux couple **aurait** tout l'héritage. (= si quelqu'un acceptait de..., il aurait...)*

*L'explosion s'est produite vers 5 heures du matin. Il n'y **aurait** pas de victimes. (= on pense qu'il n'y a pas de victimes)*

– peut-être, il est possible que + subjonctif, il se peut que + subjonctif

*Il faut que je passe à mon bureau, il y a **peut-être** des messages urgents. (= **il est possible/il se peut qu'**il y ait des messages urgents)*

Remarque : **Peut-être,** placé en début de phrase dans un style soutenu d'expression, exige l'inversion du sujet et du verbe :

Notre laboratoire médical est un des plus modernes.
***Peut-être** avez-vous lu l'article le décrivant dans le dernier numéro de « Recherche ».*

Dans le style familier d'expression, on emploie fréquemment **peut-être que** au début de la phrase et sans inversion du sujet et du verbe naturellement :

*Tiens, il n'est pas là. **Peut-être qu'**il est malade !*

– en cas de + nom (sans déterminant)

***En cas d'**urgence, appelez le 52.25.77.77.*

– au cas où + conditionnel

***Au cas où** vous n'auriez pas reçu notre chèque avant la fin du mois, avertissez-nous par lettre.*

– dans l'hypothèse où + conditionnel

*Nous comptons sur le ministère pour financer notre École d'été mais, dans **l'hypothèse où** la somme attribuée serait insuffisante, quelle autre source de financement pourrons-nous avoir ?*

– dans ce cas, dans le cas contraire, dans ces conditions

Je prévois de nouvelles complications dans l'organisation de votre voyage...
*– **Dans ce cas,** vous annulez tout !*
(= s'il y a des nouvelles complications, vous...)

*S'ils sont d'accord, c'est très bien. **Dans le cas contraire,** nous leur demanderons des dommages et intérêts ! (= s'ils ne sont pas d'accord, nous...)*

– à ce compte(-là)

Il dit qu'il ne changera pas d'avis !
*– **À ce compte-là,** ce n'est pas la peine d'insister (= s'il dit cela, ce....)*

- **supposer que** + indicatif

> *Tout est réglé. **En supposant qu'**il n'y aura pas de changement à la dernière minute !*
> *(= À condition qu'il n'y ait pas de changement à la dernière minute)*

- **comme si** + imparfait/plus-que-parfait

> *Elle veut s'occuper de tout **comme si** elle était encore à la tête de la maison de couture !*

COMPARAISON

(cf. Expression de la quantité et de la comparaison, pp. 112 à 115)

- **comme**

> *Ne fais pas **comme** ton père, je t'en prie !*

- **considérer qqch comme**

> *Ils se sont mis en grève pour dénoncer ce qu'ils **considèrent comme** une injustice.*

- **ressentir qqch comme**

> *Nous **avons** tous **ressenti** son départ avant la fin du repas **comme** une insulte.*

- **tel(s), telle(s)**

> *Voici l'histoire **telle qu'**elle m'a été racontée.*
> ***Tel** père, **tel** fils.*

- **le(s) même(s), la même**

> *Nous avons eu **la même** idée !*
> *Les résultats sont sensiblement **les mêmes que** l'an dernier.*

- **ainsi**

> *Le maire a autorisé l'ouverture d'un camping à l'entrée du village. En agissant **ainsi**, il mécontente une grande partie de la population.*

- **de cette manière/de cette façon**

> *Si les vacances doivent se poursuivre **de cette manière/façon** je rentre tout de suite à la maison !*

- **de même/de même que** + indicatif

> *L'année dernière, notre budget était déjà en déficit et il en sera **de même** cette année !*

*Vous avez besoin de votre passeport pour voyager hors de vos frontières, **de même qu'**un étranger doit avoir ses papiers en règle pour entrer dans votre pays.*

– aussi bien que + indicatif

*Vous savez **aussi bien que** moi qu'il n'accepte aucun conseil !*

– de ce genre/de ce type/de cette sorte

*Il me semble qu'une solution **de ce genre** devrait satisfaire tout le monde.*

– égal(e)/égal(e) à qqch/être l'égal(e) de qqn (pluriel : ég**aux**/égale**s**)

*Si on t'offre un salaire **égal** dans les deux cas, choisis l'emploi le plus sûr !*

*Vous n'arriverez pas à avoir un pouvoir de conviction **égal** au sien.*

*Alors vous n'admettez pas que la femme est **l'égale de** l'homme !*

– pareil, pareille

*Je n'avais jamais vu un embouteillage **pareil** !*

– identique

*Ces deux photos sont **identiques**. Tu en veux une ?*

– semblable/semblable à qqch

*Je ne veux pas revivre un jour une expérience **semblable** !*

*On voudrait lui offrir un collier **semblable à** celui qu'elle a perdu.*

– ressembler à qqch, à qqn

*Vu de la rue Beaubourg, le Centre Georges-Pompidou **ressemble à** une usine !*

*Il ne me **ressemble** pas du tout !*

– équivalent(e)

*Elles ont des compétences **équivalentes**, mais Lucie est avantagée par son dynamisme.*

– équivaloir à qqch

*Pour l'équilibre nerveux, un week-end de ski **équivaut** facilement **à** une semaine de vacances en été.*

– comparable/comparable à qqch

*Prenez l'un ou l'autre, ils sont de qualité **comparable**.*

*Ces chiffres ne sont pas **comparables à** ceux de l'an dernier.*

– **comparer à** + nom

*C'est un avion magnifique. Plus que tout autre, il mérite qu'on le **compare à** un oiseau.*

*Évidemment, si tu **te compares à** lui, tu seras déçu(e) !*

– **différent(e)/différent(e) de** + nom/**à la différence de**

*Ce sont deux sœurs, mais elles sont très **différentes** l'une de l'autre.*

***À la différence de** ce qui s'est passé l'année dernière, nous avons pu satisfaire, cette année, toutes les demandes de bourses de recherche.*

– **par rapport à** + nom

*Le nombre des demandeurs d'emploi a augmenté de 4 p. 100 **par rapport à** l'an dernier.*

– **imiter**

*Il arrive à **imiter** parfaitement ma signature !*

EXPLICATION/PRÉCISION/JUSTIFICATION

– **par exemple**

*Distrayez-vous : faites un voyage, **par exemple** !*

– **c'est-à-dire**

*Les études de 3e cycle, **c'est-à-dire** post-maîtrise, ont été profondément modifiées.*

– **soit**

*Aux dernières élections, plus de 6 millions de personnes, **soit** 2 p. 100 des électeurs, se sont abstenues.*

– **comme**

*Les expositions **comme** « Le trésor de Toutankhamon » connaissent toujours un immense succès.*
*On assiste à un regain d'intérêt pour l'étude des langues, **comme** le prouvent les dernières statistiques officielles.*

– **notamment**

*Il faut savoir allier autorité et diplomatie, **notamment** dans une négociation aussi difficile.*

– **en particulier**

*Vous pouvez obtenir une aide financière intéressante, **en particulier** un prêt bancaire avec un très faible intérêt.*

– **surtout**

*Il pleut beaucoup au printemps, **surtout** au mois d'avril !*

– **en effet**

*Le travail à temps partiel n'est pas très répandu ; il ne touche, **en effet**, que 2 p. 100 des travailleurs !*

– **ainsi**

*La situation est si catastrophique que nous avons dû sacrifier beaucoup de choses ; **ainsi** les crédits de voyage et les frais de réception qui ont été supprimés en priorité.*

– **d'ailleurs**

*C'est une très belle maison mais trop chère. **D'ailleurs,** elle est en vente depuis plusieurs mois...*

Remarque : **D'ailleurs** accompagne un exemple, introduit une preuve.

– **et de fait**

*Nous avions prévu une agitation sociale importante en septembre **et de fait** les grèves se multiplient un peu partout.*

– **et**

*Je suis tombée en panne **et** je suis arrivée en retard !*

– **l'apposition**

*Monsieur T., **avocat très connu,** s'est prononcé contre la peine de prison à perpétuité.*

– **les parenthèses**

*L'O.M.S. **(Organisation mondiale de la santé)** appartient au système des Nations Unies.*

– **les deux points (:)**

Le médecin a assoupli mon régime : les dernières analyses montrent une nette amélioration de mon état général.

– **les tirets (– ... –)**

*Pour compenser l'inflation **– plus de 8,5 p. 100 cette année –,** les syndicats réclament le déblocage immédiat des salaires.*

DÉPENDANCE

– suivant + nom, suivant que + indicatif

> *Nous verrons ce que nous ferons demain **suivant** le temps.*
> *Le problème ne se pose pas dans les mêmes termes **suivant que** vous êtes marié(e) ou célibataire.*

– selon + nom, selon que + indicatif

> *Vous serez placé dans tel ou tel groupe **selon** votre niveau en langue.*
> *Vous aurez une opinion très différente **selon que** vous aimez l'art moderne ou non.*

– en fonction de + nom

> *L'horaire des cours est établi **en fonction de** plusieurs paramètres : le souhait des enseignants, le plan d'occupation des salles, l'équilibre de la journée pour les étudiants.*

– dépendre de qqch, de qqn

> *J'aimerais bien aller passer un an au Japon, mais je ne peux pas accepter tout de suite : ma décision **dépendra des** réactions de mon entourage.*

LA DÉTERMINATION SPATIALE/LA LOCALISATION

La localisation, ou détermination spatiale, est le plus souvent introduite par une préposition. Certaines de ces prépositions sont liées au verbe :

> *Il **va à** Paris plusieurs fois par an.*
> *Je suis **né(e) à** Bordeaux.*

Dans ce cas, le circonstant de lieu (à Paris, à Bordeaux) a sa place après le verbe ; il n'est déplacé que dans la tournure d'insistance :

– repris par le pronom y

> *À **Paris**, il **y** va plusieurs fois par an.*
> *À **Bordeaux**, j'**y** suis né(e).*

– ou intégré à la construction c'est... que

> *C'est à **Paris** qu'il va plusieurs fois par an.*
> *C'est à **Bordeaux** que je suis né(e).*

Dans d'autres cas, la préposition n'est pas liée au verbe ; le circonstant est alors plus mobile dans la phrase :

> *Nous n'avons pas d'équipement sportif à **l'université**.*
> *À **l'université**, nous n'avons pas d'équipement sportif.*
> *Nous n'avons pas, à **l'université**, d'équipement sportif.*

Le rejet du circonstant de lieu en début de phrase est un phénomène fréquent en français ; il permet :

– une mise en valeur de la localisation

> *Sur la **plage**, on peut acheter de quoi manger.*

– une meilleure répartition des informations dans la phrase complexe

> *Sur la **route des vacances**, les contrôles de police seront plus nombreux cette année afin, notamment, de mieux faire respecter les limitations de vitesse.*

1. *Préposition introduisant la détermination spatiale :*

a. Prépositions simples : – à, à la, à l', au, aux

> *s'arrêter **à** Lyon, vivre **à** l'étranger, voir un film **à** la télévision, partir **aux** États-Unis,*

– de, d', du, de la, de l', des

partir *de* Paris, venir *de* l'étranger,

– en

habiter *en* banlieue, passer ses vacances *en* Grèce,

– par

passer *par* Bordeaux, aller en Italie *par* les Alpes, arriver *par* le Nord,

– dans

trouver qqch *dans* un dictionnaire, rencontrer qqn *dans* la rue, mettre qqch *dans* la voiture, vivre *dans* le nord du pays,

– vers

partir *vers* la forêt, se diriger *vers* la plage,

– pour

prendre un billet de train *pour* Nice, partir *pour* le Mexique,

– sur

vivre *sur* la Côte d'Azur, mettre qqch *sur* la table,

– sous

passer *sous* un pont, vivre *sous* une tente, se cacher *sous* le lit,

– après

prendre la première rue *après* l'épicerie,

– devant

se donner rendez-vous *devant* le musée,

– derrière

marcher *derrière* qqn, se cacher *derrière* un arbre,

– chez

rester *chez* soi (= à la maison), habiter *chez* qqn, aller *chez* le boucher (= à la boucherie)

– être à + distance + de

se trouver *à 50 mètres de* la gare.

Le déplacement peut être exprimé par :

_ de... à...

    aller en train de Paris à Lyon,

_ de... vers...

    se diriger de la Méditerranée vers l'Atlantique,

_ entre... et...

    trouver un hôtel entre Avignon et Saint-Rémy-de-Provence,

_ jusqu'à

    prendre le train jusqu'à Toulouse puis un autobus,

_ de... jusqu'à...

    aller de Notre-Dame jusqu'à la Défense à pied.

L'utilisation des prépositions *devant les noms de pays et d'îles :*

_ **Si le nom est précédé de** le

(c'est-à-dire tous les noms de pays au singulier non terminés par « e » et, parmi ceux terminés par « e », le Mexique, le Cambodge, le Mozambique)

le Pérou
le Ghana
le Portugal   }   on dira   *aller/vivre/se trouver au Pérou, au Ghana, au Portugal, etc.,*
le Viêt-nam   *venir du Pérou, du Ghana, etc.*
le Pakistan

_ **Si le nom est précédé de** les

les États-Unis
les Phillppines
les Caraïbes   }   on dira   *aller/vivre/se trouver aux États-Unis, aux Philippines, etc.,*
les Seychelles   *venir des États-Unis, des Philippines, etc.*
les Pays-Bas

_ **Si le nom est précédé de** la ou l'

(tous les noms de pays terminés par « e », sauf le Mexique, le Cambodge, le Mozambique)

• et s'il s'agit d'un nom de pays :

la Grèce
l'URSS
la Colombie   }   on dira   *aller/vivre/se trouver en Grèce, en URSS, etc.,*
la Suisse   *venir de Grèce, d'URSS, etc.*
l'Algérie

• s'il s'agit d'un nom d'île, deux cas peuvent se présenter :

la Corse
la Sardaigne   }   on dit   *aller/vivre/se trouver en Corse, en Sardaigne, etc.,*
la Sicile   *venir de Corse, de Sardaigne, etc.*

la Martinique		
la Guadeloupe	on dit	*aller/vivre/se trouver **à la** Martinique, **à la** Jamaïque, etc.,*
la Réunion		*venir **de la** Martinique, **de la** Jamaïque, etc.*
la Jamaïque		

_ Si le nom d'île n'est pas précédé d'un article

Madagascar		
Tahiti		*aller/vivre/se trouver **à** Madagascar, **à** Tahiti, etc.,*
Hawaï	on dit	
Cuba		*venir **de** Madagascar, **de** Tahiti, etc.*
Malte		

b. Locutions prépositionnelles (prépositions composées de plusieurs éléments et le plus souvent employées avec de**) :**

à côté (de), à proximité (de)
près (de), auprès de qqn, proche (de)
loin (de), à l'écart (de)
autour (de), au bord (de), en bordure (de)
en face (de), de l'autre côté (de)
du côté de
le long de
au coin (de)
au sommet (de), au fond (de)
en haut (de), en bas (de)
au-dessus (de), au-dessous (de)
à droite (de), à gauche (de)
à l'entrée (de), à la sortie (de)
au départ (de), à l'arrivée (de/à)
à l'intérieur (de), à l'extérieur (de)
au centre (de)
en dehors (de)

Remarque : Les pronoms relatifs associés aux locutions prépositionnelles construites avec **de** sont **duquel, desquels, de laquelle, desquelles** :

*Il y a, pas très loin d'ici, un magnifique lac **au bord duquel** nous allons souvent pique-niquer.*

2. *Adverbes de lieu :*

ici, là, là-bas
dedans, dehors
en haut, là-haut, en bas, là-bas
dessus, par-dessus, dessous, par-dessous
partout
ailleurs
n'importe où
quelque part, nulle part

3. *Pronoms :*

_ où

*la ville **où** il est né, un magasin **où** on trouve tout,*

_ y

*aimer un pays et s'**y** installer, habiter près de son bureau et **y** aller à pied.*

LA DÉTERMINATION TEMPORELLE

1. L'indication du moment :

a. Introduite par un article :

le 19 septembre, *le* 15 du mois, *les* années 80, *le* dimanche 22 mai,
le soir, *le* matin, *l'*après-midi, *la* nuit, *le* jour, *le* dimanche.

Remarque : L'article peut indiquer la période :
Je n'aime pas conduire la nuit.
ou indiquer la répétition
Le dimanche, je fais une partie de tennis.
(= chaque dimanche, tous les dimanches)

un jour, *une* année, *un* vendredi.

Ces marques peuvent être accompagnées du pronon *où* :

le jour où, la semaine où, le mois où, l'année où
le dimanche où, l'été où, etc.
le moment où, au moment où, la période où

b. Sans article lorsqu'on désigne un jour précis de la semaine :

Ils passeront nous voir samedi.

c. Introduite par une préposition :

— **à, au**

à midi, au printemps, au mois de janvier, le 10 mars au matin,

— **de, du**

le mois d'août, 11 heures du soir, la réunion de mercredi, l'après-midi du 5 octobre,

— **en**

en décembre, en été, en 1985,

— **dans**

dans la matinée, dans la soirée, dans l'après-midi, dans les années 80,

— **après**

après le repas, après minuit.
(Pour l'emploi de *au bout de,* cf. p. 207 (c).)

d. introduite par une locution prépositionnelle	(préposition composée de plusieurs éléments et le plus souvent employée avec **de**) : *à la fin (de), à l'issue de au début (de), au commencement (de)*

2. L'indication temporelle imprécise par les adverbes :

quelquefois, des fois *(oral)*	d'habitude	longtemps
parfois	généralement	récemment
de temps en temps	en général	longuement
tout le temps	encore	brièvement
la plupart du temps	toujours	tard
fréquemment	déjà	tôt
souvent		bientôt
rarement		

3. L'indication de l'imminence :

– aller + infinitif

*Dépêche-toi, nous **allons partir** !*

– être sur le point de + infinitif

*Après avoir longuement réfléchi, il est, je crois, **sur le point d'accepter**.*

– ne pas tarder à + infinitif

*Regarde le ciel ! Il **ne** va **pas tarder à** pleuvoir.*

4. L'indication du déroulement, de l'évolution :

a. Indication des deux limites dans le temps :	**– de... à...** *Le magasin ferme **du** 1ᵉʳ **au** 31 juillet inclus.* **– entre... et...** *Les examens ont lieu **entre** le 2 **et** le 7 juin.*
b. Indication du point de départ dans le temps :	**– à partir de :** à partir d'aujourd'hui, maintenant, du 15 avril, de lundi, etc. ***À partir de demain,** le stationnement est interdit dans notre rue.* **– dès :** dès aujourd'hui, dès maintenant, dès le 15 avril, dès lundi, etc. *Vous commencez à travailler **dès** demain.* **– d'ores et déjà** *Les résultats sont **d'ores et déjà** connus ! (= déjà, dès maintenant connus)*

_ **désormais, dorénavant**

> *Nous n'avons plus le droit **désormais** de voyager en première classe.*

c. Indication du point d'arrivée dans le temps :

_ **au bout de**

> ***Au bout de** deux jours, j'en avais assez : j'ai changé d'hôtel !*

Remarque : **Au bout de** exprime une durée et s'emploie donc devant un quantitatif (deux jours, quelques heures, etc.) :
*Elle a démissionné **au bout de** trois jours.*
***Au bout de** quelques minutes, j'avais fini l'exercice.*
(Pour l'emploi de **après**, cf. p. 205.)

_ **jusqu'à** : jusqu'à présent/maintenant/une époque récente/aujourd'hui/demain, etc., jusqu'au jour où/moment où, jusque-là, jusqu'au bout,

> *Il me prête sa voiture **jusqu'à** dimanche.*

_ **d'ici là** (d'ici demain, d'ici Noël)

> *J'ai rendez-vous avec mon médecin la semaine prochaine. **D'ici là,** je dois faire des tas d'analyses.*

5. *L'indication de la continuité :*

_ **peu à peu, petit à petit, lentement**

> *On s'habitue **peu à peu** à cette nouvelle vie...*

_ **à mesure que, au fur et à mesure que**

> *Les espoirs de le retrouver vivant diminuent **à mesure que** les heures passent.*

_ **continuer à** + infinitif, **continuel(le), continuellement**

> *Est ce que vous **continuez à** apprendre le chinois ?*
> *Il y a un bruit **continuel** de circulation.*

_ **sans arrêt, sans cesse**

> *Il se plaint **sans arrêt** !*

_ **en permanence, permanent(e)**

> *Il y a quelqu'un **en permanence** au service des réservations.*

_ **constant(e), constamment**

> *Cet enfant est **constamment** malade !*

6. L'indication de la répétition, de la périodicité :

– chaque fois, chaque fois que + indicatif

> **Chaque fois,** il répète la même chose.
> Je tremble **chaque fois qu'**il entre dans mon bureau.

chaque jour	chaque semaine	chaque mois	chaque année
tous les jours	toutes les semaines	tous les mois	toutes les années
			tous les ans
quotidien(ne)	hebdomadaire	mensuel(le)	annuel(le)
quotidiennement	hebdomadairement	mensuellement	annuellement

périodique, périodiquement   x fois par jour, par mois, par an

7. L'indication de la durée :

– de

> Il travaille beaucoup ; il fait des journées **de** 10 heures et quelquefois plus.
> (= des journées **qui durent** 10 heures)

– depuis, ça fait... que, il y a... que

> Je t'attends **depuis** deux heures ! Où étais-tu ?
> **Ça fait** une semaine **que** je cherche à la joindre.
> **Il y a** longtemps **que** je ne l'ai pas vu !

Remarque : Pour l'emploi des temps avec **depuis, ça fait... que, il y a... que,** se reporter à l'expression de la durée pp. 166 à 170.

– pendant

> Il a plu **pendant** tout le week-end.

Remarques :
1. **Pendant** peut être sous-entendu, surtout devant un quantitatif :

> Rester une heure allongé(e) sans bouger, c'est très pénible !
> (= rester pendant une heure allongé(e) ...)

2. L'emploi de **pendant** par rapport à **depuis, ça fait... que, il y a... que** est commenté pp. 167 et 168 (note 3).

– pour

> Je pars **pour** une semaine environ.
> Il est à l'hôpital depuis deux mois et sans doute **pour** de nombreuses semaines encore !

Remarque : **Pour** est utilisé à la place de **pendant** lorsque la durée exprimée n'est pas encore écoulée (cf. p. 170).

– durant

> C'est **durant** la Seconde Guerre mondiale qu'il a grimpé les principaux échelons de la hiérarchie.

– tant que

*Il se laissera vivre **tant que** ses parents lui donneront tout l'argent qu'il veut !*

– au cours de + nom

***Au cours du** premier semestre, l'inflation a diminué sensiblement.*

– sur

*Le remboursement du prêt peut être étalé **sur** 7, 10 ou 15 ans. À vous de choisir !*

– en

*Il faut que tout soit terminé **en trois jours.***

Remarque : Avec **en** on exprime à la fois une notion de durée et une notion d'achèvement dans la durée indiquée (délai de réalisation de l'action), tandis que **pendant** exprime la durée de l'action seule :

*J'ai lu le livre **en** deux heures !*
(le livre a été entièrement lu)
*J'ai lu **pendant** deux heures.*
(le livre n'est pas obligatoirement terminé)

– il y a

*Nous nous sommes rencontrés **il y a** dix ans exactement.*

– dans

*Patience ! Nous arrivons **dans** quelques minutes.*

Remarque : **Dans** indique un moment précis dans le futur : ne pas confondre avec **en** (cf. remarque ci-dessus) :

*Je pars tout de suite. je serai chez vous **dans** un quart d'heure.*
*En métro, vous ferez le trajet **en** un quart d'heure.*

– le temps de

*Je vous rejoins tout de suite, **le temps de** rentrer la voiture au garage.*

– à longueur de + nom

*Elle pense à ça **à longueur de** journée !*

– mettre + durée + pour + infinitif

*On ne **met** pas si longtemps **pour** poster une lettre, voyons !*

– il faut + durée + pour + infinitif

*Il **faut une bonne heure** de voiture **pour** y aller !*

– passer + durée + à + infinitif

*Nous avons **passé** tout l'après-midi **à** chercher le chien.*

– **en avoir pour**

  *Attends-moi, **j'en ai pour** une minute !*

– **être à** + durée + **de** + endroit

  *Chartres, c'**est à** une heure **de** Paris.*

8. Localisation d'une action dans le temps par rapport au moment où on s'exprime :

Le premier tableau ci-dessous (A) fournit les moyens d'expression pour situer l'action aujourd'hui ou avant et après aujourd'hui lorsque celui qui s'exprime est situé à l'intérieur de la période considérée, comme l'indiquent le schéma et les exemples suivants :

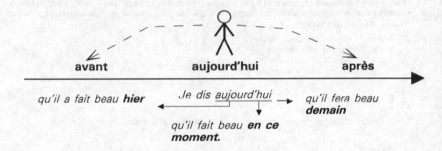

A		avant		aujourd'hui	après	
1	hier avant-hier	{	matin après-midi soir	aujourd'hui **ce** soir	demain après-demain	matin après-midi soir
2	la semaine	{	dernière passée	**cette** semaine	la semaine	prochaine qui vient / à venir
3	le mois	{	dernier passé	**ce** mois-**ci**	le mois	prochain qui vient / à venir
4	l'année	{	dernière passée	**cette** année	l'année	prochaine qui vient / à venir
	l'an	{	dernier passé		l'an	prochain qui vient / à venir
5	avant autrefois dans le passé par le passé il y a + durée en + date			actuellement maintenant pour le moment en **ce** moment à présent	après plus tard ultérieurement dans l'avenir dans + durée d'ici + durée	

Le deuxième tableau (B) donne les moyens d'expression correspondant à ceux du tableau (A) lorsque celui qui s'exprime n'est plus dans la période considérée, comme le montrent le schéma et les exemples suivants :

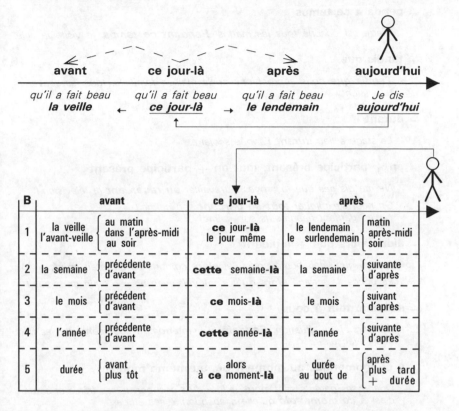

B	avant		ce jour-là	après	
1	la veille l'avant-veille	au matin dans l'après-midi au soir	ce jour-là le jour même	le lendemain le surlendemain	matin après-midi soir
2	la semaine	précédente d'avant	cette semaine-là	la semaine	suivante d'après
3	le mois	précédent d'avant	ce mois-là	le mois	suivant d'après
4	l'année	précédente d'avant	cette année-là	l'année	suivante d'après
5	durée	avant plus tôt	alors à ce moment-là	durée au bout de	après plus tard + durée

9. Rapport de simultanéité, d'antériorité et de postériorité :

a. action 1 **en même temps que** action 2

Il s'est enfui quand on s'est approché.

action 1   action 2

– **quand**

*Je lirai ça **quand** je serai en vacances.*

– **lorsque**

*Les gens dormaient **lorsque** le tremblement de terre a eu lieu.*

– **lors de + nom**

*Il s'est blessé **lors du** dernier match de football.*

- **pendant + nom, pendant que + indicatif**

  *L'incident a eu lieu **pendant** le spectacle.*
  *Mets la table **pendant que** je termine le repas.*

- **pendant ce temps**

  *Pierre est occupé tous les matins. **Pendant ce temps,** je visite la ville.*

- **tandis que**

  ***Tandis que** nous approchions de la maison familiale, tous les souvenirs revenaient.*

- **durant**

  *Le stage a lieu **durant** l'année scolaire.*

- **en + participe présent, tout en + participe présent**

  *Ne me dis pas que tu arrives à travailler **en regardant** la télévision !*

  *On peut s'expliquer **tout en gardant** son calme !*
  (= en gardant néanmoins son calme)

- **alors, alors que + indicatif**

  *J'ai vu qu'il était bouleversé ; j'ai **alors** compris ce qui était arrivé...*
  *La police l'a attrapé **alors qu'**il s'enfuyait avec un sac plein de bijoux !*

- **soudain, tout à coup**

  *J'expliquais la situation. **Soudain,** il m'interrompit pour contester les faits que j'avançais.*

- **à ce moment-là, au moment où, au même moment**

  *Quand ses parents sont morts, elle a dû s'occuper de ses frères et sœurs ; c'est **à ce moment-là** qu'elle a abandonné ses études.*

  *Il est arrivé **au moment où** je sortais !*

  *Comment voulez-vous qu'il soit sur le chantier et à notre réunion **au même moment** ?*

- **en même temps, en même temps que + indicatif**

  *Je ne peux pas travailler et t'écouter **en même temps** !*

  *Ne vous inquiétez pas, je ferai manger vos enfants **en même temps que** les miens.*

- **dès + nom, dès que + indicatif**

  *Les problèmes ont commencé **dès** son arrivée !*

  ***Dès que** le téléphone sonne, il se précipite pour répondre.*

- **sitôt + participe passé**

  ***Sitôt** dit, **sitôt** fait.*

– immédiatement, tout de suite, sur-le-champ, aussitôt

*Si vous avez besoin de quelque chose, vous sonnez et quelqu'un viendra **immédiatement**.*

– aussitôt que

*Impossible de m'absenter une minute ! Je dois être dans son bureau **aussitôt qu'**il m'appelle.*

---

b. action 1 **antérieure à** action 2
Je téléphonerai avant de partir :

    action 1   action 2

– avant, autrefois, dans le passé, par le passé, jadis

***Avant,** ce quartier était un des plus chics de la ville !*

– avant + nom

*Je vous donnerai ma réponse **avant** la fin de la semaine.*

– avant de + infinitif, avant que + subjonctif

*N'oubliez pas d'éteindre la lumière **avant de** sortir.*
*Dépêchons-nous de rentrer **avant qu'**il (ne) pleuve.*

– avant d'avoir/d'être + participe passé

*Je n'ai pas pu m'endormir **avant d'avoir fini** ce roman.*

– plus tôt

*Tu aurais pu me dire ça **plus tôt** !*

– auparavant

*Nous allons parler affaire, mais, **auparavant,** donnez-moi des nouvelles de votre charmante femme et de vos enfants.*

– d'ici..., d'ici là

*Le nom du lauréat du prix Inter-universitaire sera connu **d'ici** ce soir.*
*Je dois libérer cet appartement dans trois mois. **D'ici là,** j'aurai bien trouvé une solution pour me loger !*

– dans les...

*La lettre indique que la facture doit être payée **dans les huit jours** sous peine de poursuites.*

– d'abord

*Fais **d'abord** tes devoirs, on verra ensuite pour la partie de ping-pong !*

– **préalable, au préalable/préalablement**

*Le gardien n'a pas voulu nous laisser entrer sur le site archéologique. Il paraît qu'il faut une autorisation **préalable.***

*On ne fait pas directement une thèse ! Il y a, **au préalable,** une année d'études qu'on appelle le DEA (diplôme d'études approfondies).*

– **à l'avance, en avance, d'avance, par avance**

L'utilisation des prépositions est délicate ; il semble que l'on puisse établir quatre catégories :

● Être/Se trouver (+ quantitatif) *en avance :*

*Allons prendre un café, nous sommes **en avance** !*
*Il vaut mieux arriver (cinq minutes) **en avance** !*
*J'ai terminé au bureau (un peu) **en avance** ce soir, ce qui m'a permis de faire quelques courses.*

● Faire qqch (+ quantitatif) *à l'avance :*

*Si vous voulez un menu spécial, prévenez le chef (deux ou trois jours) **à l'avance.***
*Pour avoir une place, il faut réserver (plusieurs semaines) **à l'avance.***
*Il paraît qu'il faut s'inscrire **à l'avance** !*

● Avoir + quantitatif + *d'avance :*

*J'ai **dix minutes d'avance,** je vais prendre un café !*
*Il roule vite ; il a pris **un quart d'heure d'avance** sur nous !*
*Il faut payer **deux mois de loyer d'avance.***

● Verbe employé sans quantitatif + *d'avance, par avance, à l'avance :*

*Je vous remercie **d'avance/par avance/à l'avance** de ce que vous pourrez faire pour m'aider.*
*On sait **d'avance/par avance/à l'avance** qu'avec elle les choses marcheront bien.*

---

c. action 2 **postérieure à** action 1
Je te téléphonerai après avoir contacté l'intéressé.

        action 2   action 1

– **après**

*Aide-moi à ranger tout ça, **après** je te laisserai tranquille.*

– **après + nom, après que + indicatif**

***Après** le spectacle, nous avons dîné ensemble dans un très bon restaurant des Halles.*

*Je ne céderai qu'**après que** tu m'auras convaincu(e).*

Remarque : Le subjonctif apparaît fréquemment à la place de l'indicatif après **après que,** sans doute sur le modèle de **avant que** qui, lui, exige l'emploi du subjonctif.

- **après avoir/être + participe passé**

> *Vous reviendrez me voir **après avoir consulté** cette brochure qui vous donne toutes les informations.*

- **puis**

> *Il a attendu une bonne heure, **puis** il est parti.*

- **plus tard**

> *Je n'ai pas le temps ! Je m'occuperai de ça **plus tard** !*

- **ensuite, par la suite, à la suite de + nom**

> *Pour l'instant, nous avons installé le rez-de-chaussée ; **ensuite,** nous ferons les travaux qui s'imposent au premier étage.*
>
> *Les études, c'est bien, mais qu'envisage-t-il de faire **par la suite** ?*
>
> *__À la suite de__ cet attentat, les contrôles de police ont été renforcés dans tous les aéroports.*

- **une fois que + indicatif**

> *__Une fois que__ mon fils sera élevé, je pourrai reprendre une activité professionnelle à plein temps mais pas avant !*

10. *Place du circonstant de temps :*

Le circonstant de temps est souvent un élément mobile dans la phrase : placé en début de phrase ou entre virgules à l'intérieur de la phrase, il permet :

- **soit une mise en valeur de la détermination temporelle**

> *__Au cours des deux premiers mois,__ j'ai fait cinq voyages à l'étranger !*

- **soit une meilleure répartition des informations dans la phrase complexe**

> *__Dès votre arrivée,__ vous aurez à votre disposition une voiture avec chauffeur afin de faciliter les nombreuses démarches que nous vous demandons de faire dans un délai très court.*
> ou
> *Vous aurez, **dès votre arrivée,** une voiture avec chauffeur à votre disposition afin de faciliter...*

LES MODIFICATEURS

Communément appelés adverbes ou locutions adverbiales, les modificateurs apportent une information qui modifie ou précise le sens de l'information exprimée sans l'adverbe. On peut noter l'écart entre :

Il court.	*Il court **vite.***
Il travaille.	*Il travaille **avec passion.***
Ça n'est jamais arrivé.	*Ça n'est **pratiquement** jamais arrivé.*
	(= c'est arrivé une fois ou deux)
C'est difficile.	*C'est **trop** difficile.*
Elle est de bonne humeur.	***Généralement,** elle est de bonne humeur.*
	(= il lui arrive de ne pas être de bonne humeur)

Les modificateurs indiquent le plus souvent :

– la manière

> *Il m'a répondu **ironiquement** ! (= de manière ironique)*
> *Je me suis garé(e) **sans problème.** (= facilement, de manière facile)*

– la cause

> *J'ai ralenti **par prudence.** (= parce que je suis prudent(e))*

– une appréciation

> *La réponse n'est pas **très** claire.*
> *Ça marche **relativement** bien.*

– une concession/restriction

> ***Apparemment,** tout est réglé. (= On a l'impression que tout est réglé.)*
> ***Malheureusement,** il n'y a pas de piscine.*
> *(= Je regrette qu'il n'y ait pas de piscine).*

On peut également classer parmi les modificateurs certains éléments qui indiquent :

– le temps, la périodicité

> *Le dimanche, je me lève **tard.***
> *On se voit **fréquemment.***

– le lieu

> *Si on allait **ailleurs**...*
> *Des briquets comme ça, on en vend **partout.***

Ils font en même temps partie de la classe plus vaste des circonstants de lieu (cf. pages 201 à 204) et des circonstants de temps (cf. pages 205 à 215) :

Si on allait **au café du coin**...
Des briquets comme ça, on en vend **dans tous les bureaux de tabac.**
Le dimanche, je me lève **à midi.**
On se voit **une fois par semaine.**

Les modificateurs se présentent sous des formes variées :

– **forme en** -ment **dont la base est un adjectif**

rapidement, facilement, évidemment, entièrement,

– **groupe prépositionnel**

avec passion, sans intérêt, par déception,

– **mots invariables exprimant souvent une quantité**

peu, environ, trop, assez,

– **adjectif après le verbe dans un petit nombre de cas**

y voir **clair**, sentir **bon**.

Les modificateurs affectent :

– **le verbe**

Il agit **stupidement.**

– **l'adjectif**

C'est un endroit **très** calme.

– **l'adverbe**

Vous trouverez **très** facilement la solution.

– **le quantitatif/la négation**

Il gagne **approximativement** 9 000 francs par mois.
Je ne le vois **presque** jamais.

– **la phrase ou un élément de phrase :** dans ce cas, le modificateur a une place plus mobile.

Il ne tient **visiblement** pas à me rencontrer !
ou
Visiblement, il ne tient pas à me rencontrer !
ou
Il ne tient pas à me rencontrer, **visiblement** !
Cette remarque vaut **essentiellement** pour l'enseignement des langues.
ou
Cette remarque vaut pour l'enseignement des langues **essentiellement**.

1. Les modificateurs du verbe :

a. Formes en -ment :

J'avais **complètement** oublié !
Je vous approuve **entièrement**.
Il a répondu **sèchement** qu'il n'était pas concerné !

b. Mots invariables :

J'ai **bien** travaillé.
Est-ce que vous fumez **beaucoup** ?
Cette solution nous satisfait **peu** !

c. Groupe prépositionnel introduit par :

– avec

Il poursuit ses études **avec difficulté**.

– par

Vous savez bien qu'il agit **par intérêt** !

– sans

Dites-moi **sans complaisance** ce que vous pensez de ma conférence.

– de

Nous avons dû le faire partir **de force**.
La criminalité a augmenté **de façon spectaculaire** en dix ans.
Il progresse **de manière étonnante** en mathématiques !

– d'un air + adjectif

Il a demandé **d'un air inquiet** si les résultats étaient affichés.

d. Adjectif qui suit directement un nombre limité de verbe (voir, peser, sentir, parler, frapper, coûter) **; dans ce cas, l'adjectif est invariable (forme du masculin singulier) :**

– voir juste/clair

Je ne crois pas que tu **voies juste** en disant que la situation s'améliore !
Pour l'instant, j'ai trop d'ennuis. Je n'arrive pas à **voir clair** dans la manière de m'en sortir !

– peser lourd

Que cette valise **pèse lourd** ! Qu'est-ce qu'il y a dedans ?

– sentir bon/mauvais

Ça **sent bon** chez toi. Tu prépares un gâteau ?

– parler bas/haut/franc

Pour **parler franc,** je trouve cette décision idiote !

– frapper fort

> *Il faut **frapper fort** à la porte, sinon elle n'entend pas.*

– coûter cher/bon marché

> *Ma voiture est toujours en panne. Elle commence à me **coûter cher** !*

⚠️ *Place du modificateur par rapport au verbe :*

– si le verbe est à la forme simple, on a ***verbe* + *modificateur*** :

> *Ça m'ennuie **énormément**.*
> *Il pouvait s'exprimer sans parler **méchamment** !*

– si le verbe est à la forme composée (***être*** ou ***avoir*** + participe passé du verbe), on a :

• ***être*** ou ***avoir*** + modificateur + participe passé, si le modificateur fait partie de la classe des mots invariables présentés ci-dessus :

> *J'ai **bien** travaillé.*
> *Il avait **trop** bu !*
> *J'aurais **beaucoup** aimé être avec vous.*

• ***être*** ou ***avoir*** + $\left\{ \begin{array}{l} \text{modificateur + participe passé} \\ \text{participe passé + modificateur,} \end{array} \right.$ si le modificateur a une forme en **-ment** ; toutefois le modificateur ne se place pas toujours indifféremment avant ou après le participe passé : l'usage révèle des tendances :

> *J'ai **vraiment** regretté votre absence !*
>
> *Il a parlé **lentement** pour que nous puissions prendre des notes.*
>
> *Le prix de la viande a **considérablement** augmenté.*
> ou
> *Le prix de la viande a augmenté **considérablement**.*
>
> *Elle a **énormément** grossi.*
> ou
> *Elle a grossi **énormément**.*

La même remarque vaut pour les modificateurs exprimant le temps ou la périodicité :

> *J'ai **déjà** fini.*
>
> *Nous avons **longuement** discuté.*
> ou
> *Nous avons discuté **longuement**.*
>
> *J'ai **souvent** pensé à toi pendant ce voyage !*
> ou
> *J'ai pensé **souvent** à toi pendant ce voyage !*

mais **tard, tôt,** qui sont des circonstants de temps plus que des modificateurs, se placent toujours après le participe passé :

> *Tu t'es levé* **tôt,** *aujourd'hui !*
> *Je suis sorti(e)* **tard** *du bureau.*

• **être** ou **avoir** + participe passé + modificateur quand le modificateur exprime le lieu :

> *Ils se sont installés* **ailleurs.**
> *Ils ont dormi* **dehors.**

• **être** ou **avoir** + participe passé + modificateur quand le modificateur est un groupe prépositionnel :

> *Son discours a été applaudi* **avec chaleur.**
> *Il ne l'avait pas épousée* **par amour !**

2. Les modificateurs de l'adjectif :

Ils expriment le plus souvent l'intensité ou l'appréciation ; ils se placent toujours devant l'adjectif :

> *C'est* **vraiment** *drôle.*
> *Votre idée est* **franchement** *mauvaise.*
> *Soyez* **absolument** *sûr qu'on ne vous reproche rien.*
> *Une sanction* **parfaitement** *justifiée ne peut être remise en cause.*
> *Ce que vous dites est* **tout à fait** *faux !*

⚠ Cas de *tout* qui signifie *tout à fait, complètement, très :*

> *Il est* **tout** *surpris d'avoir été sélectionné !*

L'accord de **tout** ne se fait jamais devant un adjectif au masculin :

> *Il est* **tout** *surpris !*
> **Ils** *sont* **tout** *surpris !*
> *Il est* **tout** *étonné !*
> **Ils** *sont* **tout** *étonnés !*

Lorsque *tout* se trouve devant un adjectif au féminin,

• l'accord ne se fait pas si l'adjectif commence par une voyelle ou un « h » muet ; dans ce cas, on fait la liaison :

> **Elle** *est* **tout** *étonnée.*
> **Elles** *sont* **tout** *heureuses.*

• l'accord se fait si l'adjectif commence par une consonne ou un « h » aspiré ; dans ce cas, on prononce le « t » final parce qu'il est suivi de « e » qui marque le féminin :

> *Elle* est **toute** *surprise* !
> *Elles sont* **toutes** *surprises* !
> *Elle est* **toute**/*honteuse* !
> *Elles sont* **toutes**/*honteuses* !
> (la liaison avec [z] est interdite)

3. Les modificateurs de l'adverbe :

Ils se placent avant l'adverbe :

> *J'ai parcouru le dossier* **très** *rapidement.*
> *Il m'a répondu* **peu** *aimablement.*
> *Vous pourrez le convaincre* **assez** *facilement* !
> *L'entretien marche* **relativement** *bien maintenant.*

4. Les modificateurs du quantitatif et de la négation :

Ils se placent avant le quantitatif ou la négation :

> *Par la route, il faut compter* **à peu près** *deux heures de trajet.*
> *Il y a* **environ** *10 p. 100 d'étrangers dans notre pays.*
> *Je ne le vois* **presque** *jamais.*
> *Ne lui en parle* **surtout** *pas* !

5. Les modificateurs de la phrase :

Ils peuvent être placés soit en début de phrase, soit après le verbe, soit en fin de phrase ; ils servent à modaliser l'information tout entière :

> **Visiblement,** *il n'est pas prêt à accepter* !
> **Heureusement,** *personne n'a été blessé* !
> **Curieusement,** *le système électronique de sécurité n'a pas fonctionné* !

6. Les modificateurs d'un élément de phrase :

Ils se placent soit avant, soit après l'élément de phrase :

> *Référez-vous* **également** *à un bon dictionnaire.*
> *Référez-vous à un bon dictionnaire* **également.**

7. Les modificateurs du nom :

cf. page 31.

LES NUANCES DE L'EXPRESSION

LA MODALISATION

La langue offre de nombreuses possibilités pour nuancer l'expression. Le conditionnel, par exemple, permet

• d'atténuer un ordre, une demande :

*Il **faudrait** que vous y alliez ~ Il faut que vous y alliez.*

• de manifester une certaine politesse :

*Je **voudrais** encore du gâteau. ~ Je veux encore du gâteau.*

D'autres nuances apparaissent également :

• dans le choix des mots et notamment des verbes et expressions verbales ; on peut noter la différence entre :

Il accepte cette solution.
et
*Il **est favorable** à cette solution.*
(il n'a pas encore accepté)

Il dit qu'il n'a pas reçu ma lettre.
et
*Il **prétend** qu'il n'a pas reçu ma lettre.*
(je pense qu'il ment)

• ou dans l'utilisation de certains adverbes qui modifient l'information exprimée sans adverbe :

C'est vrai. → *C'est **probablement** vrai.*
Elle était là. → ***Malheureusement,** elle était là !*

On remarque donc que l'expression est rarement neutre : la personne qui s'exprime peut effectuer des choix linguistiques pour faire passer dans son message une attitude, un jugement, un sentiment, une nuance de certitude ou de doute, une opinion, etc. Elle peut également signaler qu'elle ne prend pas la responsabilité de ce qu'elle dit :

*Il **paraît qu'**il a trouvé du travail.*
(= on m'a dit que...)
***D'après** les statistiques, l'inflation va diminuer.*

Les moyens linguistiques présentés ci-dessus mettant en évidence les différentes manières d'exprimer *le dire, le savoir, le vouloir, le devoir/falloir, l'appréciation* et *l'accord/désaccord* ne représentent pas l'ensemble des possibilités offertes par la langue ; les tableaux, qui peuvent être complétés, ont pour but de sensibiliser au phénomène de la modalisation.

1. La modalisation par les verbes et expressions verbales :

Ces verbes et expressions verbales admettent des constructions variées : se reporter au *Dictionnaire des verbes,* page 59 ; seules seront signalées dans les tableaux suivants les constructions avec *que + subjonctif.*

			DIRE		
dire exprimer	indiquer préciser montrer expliquer informer	remarquer	déclarer se déclarer + adj.	affirmer avouer prétendre	promettre prévoir

	SAVOIR[1]	
savoir ≠ ignorer	penser croire	entendre dire que
être sûr être persuadé	trouver considérer estimer	on dit que
c'est vrai		paraître + adj.
c'est exact	imaginer	avoir l'air + adj.
c'est bien connu		il paraît que
aucun doute	avoir l'impression avoir le sentiment	
..., il est vrai,... il est vrai que il est incontestable que il est certain que	espérer ≠ craindre **(que + subj.)** avoir peur **(que + subj.)**	

(1) Substituts de verbe :
d'après ⎫
selon ⎬ *qqn, qqch*
pour ⎭ *qqn*

le point de vue de qqn
(à mon/ton/son... point de vue)
l'avis de qqn *(à mon/ton/son... avis).*

		VOULOIR		
vouloir demander exiger réclamer	avoir envie	désirer souhaiter rêver compter	proposer suggérer	⎫ ⎬ **que + subj.** ⎭
	être prêt à	avoir l'intention de chercher à		

DEVOIR/FALLOIR

devoir
obliger qqn à ≠ empêcher qqn de
être obligé ≠ être empêché

conseiller

inviter qqn à
être invité à

avoir besoin (**que + subj.**)

il faut
il est indispensable } **que + subj.**
il est souhaitable

il est préférable
il vaut mieux } **que + subj.**

devoir (éventualité)

devoir

il est question
il est possible } **que + subj.**

POUVOIR

pouvoir
être libre de

être capable de
avoir des aptitudes pour qqch   ≠   avoir des difficultés à
être en mesure de   avoir du mal à

pouvoir (éventualité)

pouvoir
risquer

il est possible
il se peut } **que + subj.**

APPRÉCIATION

apprécier
(qqch) est appréciable

plaire

être sensible à qqch

(qqch) est bien
(qqch) est intéressant
(qqch) n'est pas grave
(qqch) n'est pas banal
                                                        ≠ (qqch) n'est pas drôle
(qqch) est facile à[1]   (qqch) est difficile/dur à
il est facile de[1]   il est difficile/dur de

aimer (bien)   détester } **que + subj.**

```
préférer

trouver + adjectif
trouver normal            trouver anormal
                          trouver ridicule
être satisfait
être content                                              } que + subj.
être ravi

                          se plaindre

                          regretter

                          être choqué
```

(1) Avec une expression composée de *être* + *adjectif* comme être *facile/difficile* :

• on utilise la préposition *à* quand le sujet est personnel (il représente quelqu'un ou quelque chose) même s'il s'agit du pronom indéfini *c'* :

> **Cette voiture** *est facile* **à** *garer.*
> **C'**est facile **à** *comprendre.*

• on utilise la préposition *de* quand le sujet est le pronom impersonnel *il* :

> **Il** *est facile* **de** *se garer.*
> **Il** *est facile* **de** *comprendre les causes de l'inflation.*

ACCORD/DÉSACCORD

```
accepter          refuser } que + subj.     hésiter
admettre

laisser + inf.    empêcher
autoriser
permettre         interdire

reconnaître       contester

                  accuser

                  reprocher

avoir raison      avoir tort

être d'accord
être pour
être de l'avis de    être contre              être réticent
être favorable à
être en faveur de

                  être opposé  } à ce que + subj.
                  être hostile

                  il n'est pas            ça m'embête(rait) (que + subj.)
                  question  (que + subj.)
```

2. La modalisation par les adverbes ou modificateurs :

Les adverbes ou modificateurs (cf. pp 216 à 221) apportent toujours une précision. Certains d'entre eux servent simplement à informer :

> *Il vient **souvent**.*
> *Allons **ailleurs**.*

D'autres, comme ceux qui sont classés ci-dessous à titre d'exemples, apportent un renseignement sur la manière d'informer :

> **Dans l'ensemble,** *les gens sont contents.*
> *(peut-être tous, mais je ne peux pas l'affirmer)*
>
> *Tu parles **trop**.*
> *(nuance de reproche : je pense que tu devrais parler moins)*

appréciation	restriction	doute	certitude
très	généralement	peut-être	bien sûr
trop	en général	sans doute	évidemment
assez	habituellement	probablement	en effet
vraiment	d'habitude	certainement...	effectivement...
plutôt	dans l'ensemble...		
heureusement			
malheureusement...			

3. La modalisation par l'indication intentionnelle des sources de l'information :

a. Citation des paroles : Il y a, d'une part, des guillemets qui encadrent les paroles exactes et, d'autre part, un verbe qui a pour sujet l'auteur des paroles

> *Philippe, 12 ans, **déclare :** « Je pratique un sport dans un club. Ce qu'on fait au collège n'est pas suffisant ! »*
>
> *Aujourd'hui certains responsables **avouent :** « Nous n'avons pas donné toutes les informations pour ne pas affoler la population. »*
>
> *Y a-t-il un seul professeur qui **dirait :** « Les notes que je donne sont parfaitement justes » ?*

Lorsque l'auteur des paroles est mentionné après la citation, il y a inversion du sujet et du verbe :

> *« J'aurais voulu intervenir, mais les malfaiteurs étaient armés », **explique** un témoin du hold-up.*
> *« Je n'ai pas envie de faire de l'informatique parce que c'est à la mode », **dit** Nathalie, 16 ans.*

L'inversion a également lieu quand le sujet du verbe est un pronom ; dans ce cas, les pronoms *il, elle, on* sont précédés de -t- si la terminaison du verbe est « e » ou « a »

*« La situation est grave », **avoue-t-on** dans les milieux bien informés.*
*« J'ai agi par intérêt », **précisa-t-il** avec cynisme.*

b. Discours rapporté :

Les paroles sont rapportées grâce à :

• **un verbe introducteur qui se construit :**

– soit avec un **infinitif**

> ***Il pense** avoir fini dans une heure.*

– soit avec **que** (construction complétive)

> ***Il pense que** nous aurons fini dans une heure.*

Remarques :
1. Les guillemets disparaissent.
2. Le choix du verbe introducteur indique souvent une interprétation de la part de celui qui rapporte les paroles :

***Il prétend que** la violence a diminué.*
(j'indique que son jugement est faux)

3. La concordance des temps entre le verbe introducteur et le verbe de la complétive est une des caractéristiques du discours rapporté :

*La météo **annonce** qu'il **fera** beau demain.*
*La météo **a annoncé** qu'il **ferait** beau demain.*

Sur ce point, se reporter à **La concordance des temps, pages 162 à 164.**

• **un substitut de verbe tel que :**

– **pour**

> *Qu'est-ce qui, **pour vous,** est prioritaire ?*

– **d'après**

> ***D'après le médecin,** Pierre pourrait sortir de l'hôpital la semaine prochaine.*

– **selon**

> ***Selon des sources sûres,** l'armée prépare un coup d'État.*

– **le point de vue de qqn, à mon/ton/son... point de vue**

> ***À mon point de vue,** il faut avertir immédiatement les parents.*

– **l'avis de qqn, à mon/ton/son... avis**

> ***L'avis des personnes** interrogées est très partagé !*

LES PROCÉDÉS D'INSISTANCE

1. *La reprise de* la négation :

– **non plus**

> Elle se trouve bien sûr dans une situation difficile, mais il ne faut pas **non plus** dramatiser.

– **moi non plus**

> – Je n'irai pas à son mariage.
> – Moi **non plus.**

– (et) **non pas**

> J'ai dit qu'il fallait modifier certains aspects du projet et **non pas** le supprimer.

2. *La reprise par* un pronom personnel :

> **Moi, je** préfère aller au cinéma.
> **Mon père, lui,** n'est pas de cet avis.
>
> Les employés organisent **eux-mêmes** leur emploi du temps.
> Ce qui est bien, c'est qu'**on** peut se servir **soi-même.**
>
> **Le métro**, je **le** prends tous les jours.
> **Les enfants**, je **leur** prépare tout et ils se débrouillent !

3. *La reprise par* c'est... / ce n'est pas... (ce sont... / ce ne sont pas...) :

– **c'est + adjectif**

> La qualité de la vie, **c'est important.**

– **c'est + nom**

> L'énergie solaire, **c'est l'avenir.**

– **c'est de + infinitif**

> La seule chose à faire, **c'est d'**attendre.

– **c'est que +** **subj.** si l'action est projetée dans le futur
           ind. si le verbe exprime un fait acquis, connu

> Ma crainte, **c'est qu'**il ne sache pas se débrouiller tout seul.
> Le drame, **c'est qu'**elle a perdu son emploi.

– ce que..., c'est + nom ou infinitif, ou que

> *Ce que je ne comprends pas, c'est ton refus de discuter.*
> *Ce que je crains, c'est d'avoir tout à refaire.*

Remarque : Dans **ce que**, **que** est pronon relatif ; il peut donc être remplacé par un autre pronom relatif (**qui, dont** ou préposition autre que **de** + **quoi** : cf. tableau pp. 48 et 49) :

> *Ce qui m'ennuie, c'est qu'il n'y a pas d'école bilingue pour les enfants.*
> *Ce dont on est sûr, c'est qu'il n'a pas une maladie grave. (être sûr de qqch)*
> *Ce à quoi il faut s'attendre, c'est une vive réaction du personnel médical. (s'attendre à qqch)*

4. La mise en valeur du nom :

– c'est... + pronom relatif

c'est... qui :

> *Depuis deux ans, c'est mon frère qui dirige l'entreprise familiale.*

c'est... que :

> *Ce sont des précautions qu'il aurait fallu prendre avant ! (prendre des précautions)*

c'est... dont :

> *C'est un enfant dont il faut s'occuper constamment. (s'occuper de qqn)*

c'est... à qui / auquel, auxquels, à laquelle, auxquelles :

> *Vous vous souvenez, c'est ce garçon à qui vous avez interdit de suivre votre cours !*
> *(interdire à qqn de + inf.)*
> *Ce sont des dépenses auxquelles je ne peux plus faire face. (faire face à qqch)*

c'est... préposition autre que à ou de + qui/lequel, lesquels, laquelle, lesquelles :

> *Ma secrétaire, c'est quelqu'un sur qui je peux entièrement compter. (compter sur qqn)*
> *Il a sorti son revolver et tiré ; c'est un geste contre lequel personne n'a rien pu faire. (ne rien faire contre qqch)*

Cette construction **c'est... + pronom relatif** peut être transformée quand le pronom relatif est :

dont → en construction c'est de... que :

> *C'est l'isolement dont je souffre le plus.*
> *→ C'est de l'isolement que je souffre le plus.*

à qui/auquel, auxquels, à laquelle, auxquelles
→ en construction c'est à ... que :

*Ce sont tous ces enfants innocents **à qui** on pense d'abord.*

→ ***Ce sont à** tous ces enfants innocents **qu'**on pense d'abord.*

*C'est la solution **à laquelle** on aurait dû penser immédiatement.*

→ ***C'est à** cette solution **qu'**on aurait dû penser immédiatement.*

préposition autre que **à** ou **de** + qui/lequel, lesquels, laquelle, lesquelles
→ en construction c'est + préposition... que :

*C'est l'organisateur **contre qui** il faut porter plainte !*

→ ***C'est contre** l'organisateur **qu'**il faut porter plainte !*

*C'est cette tendance à la paresse **contre laquelle** il doit réagir.*

→ ***C'est contre** cette tendance à la paresse **qu'**il doit réagir.*

Remarques : L'utilisation de la construction **c'est + préposition... que,** qui semble plus simple parce qu'elle simplifie l'emploi des pronoms relatifs, n'est possible que dans un certain nombre de cas précis :

1. Pour produire un effet d'insistance supplémentaire (mise en valeur par **c'est** et par la préposition) :

C'est grâce à *un voyageur courageux **que** la bombe n'a pas explosé dans le métro.*

2. Pour accompagner un nom clairement défini (référence à quelque chose ou à quelqu'un de précis, de déterminé) ; on constate, dans cette construction, une détermination du nom par le possessif, le démonstratif, l'adjectif qualificatif, le groupe prépositionnel...

*C'est la solution **à laquelle** j'avais pensé.*

→ *C'est **à cette** solution **que** j'avais pensé.*

→ *C'est **à** une solution **de ce genre que** j'avais pensé.*

→ *C'est **à** une solution **semblable que** j'avais pensé.*

Enfin, la construction **c'est + préposition... que** est obligatoire lorsqu'on utilise un pronom personnel complément à la place du nom :

*C'est de **lui** que je parle.*
*C'est à **moi** qu'elle confie ses petits secrets.*

5. *La mise en valeur du* circonstant (de but, de cause, de temps, de lieu, etc.) :

Deux procédés peuvent être utilisés :

a. Le rejet en début de phrase : *****Pour lui rendre service**, je garde ses enfants un week-end sur deux.*

*****À cause de la grève des guides et des gardiens**, nous n'avons pas pu visiter Pompéi.*

À cette période de l'année, vous trouverez facilement à vous loger dans un petit hôtel pas cher et sur la plage.

Remarque : En même temps qu'il y a mise en valeur du circonstant, ce procédé permet :
• de ne pas commencer la phrase directement par le sujet suivi du verbe,
• d'apporter après le groupe sujet-verbe une ou plusieurs autres informations sans surcharger la phrase :

À partir de l'année prochaine, les étudiants feront, au cours de leur dernière année d'études, un stage en entreprise destiné à les mettre en contact avec le monde professionnel.

b. C'est + circonstant + que :

C'est **pour l'aider** que j'ai agi de cette façon !

C'est **parce qu'on m'a empêché(e) de faire du journalisme** que je suis devenu(e) professeur.

C'est **quand on a eu fini** qu'on s'est aperçu de l'erreur.

6. *La mise en valeur du* verbe, *de* l'adjectif *ou de* l'adverbe :

Elle se fait grâce à des adverbes ou à des locutions adverbiales qui expriment l'emphase ; parmi ceux-ci, on peut indiquer :

bien, bien sûr, surtout, même, évidemment, vraiment, très, si, tant, tellement, etc.

7. *La mise en valeur du* possessif :

Ici, c'est **son** domaine **à lui.**
Il a décidé de créer **sa propre** entreprise.

8. *La mise en valeur d'une* information :

cf. p. 175 (2).

LES MANIPULATIONS DE L'ÉNONCÉ

La présentation, l'organisation des informations dans la phrase ou dans un énoncé plus large

– **s'appuient, d'une part, sur l'utilisation d'**éléments de relation **servant :**

• à introduire l'information (cf. pp. 174 à 181),
• à exprimer entre deux informations une notion de but, cause, conséquence, concession, temps, etc. (cf. pp. 181 à 215) ;

– **et s'appuient, d'autre part, sur la mise en œuvre de** procédés d'écriture **permettant :**

• d'éviter la répétition : phénomène de reprise, emploi de la construction relative ou de ses substituts,
• d'effectuer des déplacements d'éléments, souvent à des fins d'insistance, comme l'inversion du sujet et du verbe, la construction passive et la construction impersonnelle, le rejet des circonstants en début de phrase et l'apposition, l'utilisation de la tournure présentative.

1. *La reprise.*

Elle se fait grâce à :

a. L'utilisation des pronoms **pour éviter la répétition du nom :**

– Reprise par le **pronom personnel sujet**

> *Madame B... vient de téléphoner :* ***elle*** *ne pourra pas assister à la réunion.*

– Reprise par le **pronom complément d'objet**

> *Si vous voyez Pierre, pourriez-vous* ***lui*** *dire de passer me voir dès que possible.*

– Reprise par le **pronom démonstratif**

> *Je te donne le choix entre trois cadeaux ; dis-moi* ***celui*** *que tu préfères.*

– Reprise par le **pronom possessif**

> *Il voit bien les défauts des autres mais jamais* ***les siens*** *!*

_ Reprise par le **pronom indéfini**

> *J'ai vu la plupart des dossiers, les **autres** attendront demain !*

_ Reprise par le **pronom démonstratif ceci/cela** ou **ce + pronom relatif**

> *Désormais, toute personne employée depuis dix ans dans le même organisme devra faire un stage de recyclage. **Cela** concerne la moitié des employés de notre entreprise.*
>
> *Le personnel n'a pas été consulté, **ce qui** n'était encore jamais arrivé !*

---

b. L'utilisation de l'adjectif démonstratif pour assurer le lien entre deux noms présentés dans deux phrases différentes :

> *On a découvert un nouveau **procédé** de fabrication du plastique, mais il faudra attendre un certain temps avant que **ce procédé** ne soit commercialisé.*

---

c. L'utilisation de la transformation nominale pour éviter la répétition du verbe ; on notera la présence de l'adjectif démonstratif ou de l'adjectif indéfini tel(s)/telle(s) devant le nom pour assurer le lien entre les deux informations :

> *Le conseil municipal a **décidé** de faire construire une Maison des jeunes et de la culture. **Cette décision,** que personne ne conteste, a toutefois déclenché une polémique sur les priorités en matière d'équipement dans notre ville.*
>
> *Pour remettre à neuf cet appartement, il faudrait **dépenser** près de 500 000 francs. Je ne peux pas me permettre **une telle dépense** alors que je prends ma retraite dans deux mois !*

---

d. L'utilisation d'une forme nominale (précédée de ce, cet, cette, ces ou tel(s), telle(s) qui reprend l'idée précédente en la résumant en un mot afin de créer un enchaînement avec l'information suivante :

> *Les élèves du lycée Voltaire ont décidé d'organiser une campagne d'information sur les métiers qu'on connaît mal à l'intention de tous les lycéens passant le baccalauréat cette année. **Cette initiative** a été très bien accueillie par le ministère de l'Éducation nationale, qui a promis d'apporter son aide.*
>
> *Pour stimuler l'économie, le gouvernement supprime le contrôle des prix et accorde de gros avantages aux entreprises. On peut se demander si **de telles mesures,** déjà expérimentées dans le passé, seront efficaces aujourd'hui !*

---

e. L'utilisation de la construction relative ou de ses substituts :

> *Il s'agit d'un projet **dont** personne parmi nous n'avait entendu parler.*
> *(personne parmi nous n'avait entendu parler de ce projet)*
>
> *La police a interrogé une dizaine de personnes **qui** étaient dans la banque au moment du hold-up.*
> *(ces personnes étaient dans la banque au moment du hold-up)*

La construction relative avec *qui* peut être remplacée pour alléger la phrase ; ses principaux substituts sont :

_ le participe présent

*Pour satisfaire la demande, on a embauché un personnel plus ou moins compétent, **travaillant** à temps partiel et, dans l'ensemble, très mal payé. (= qui travaille à temps partiel)*

_ le participe passé

*Cette université délivre des diplômes non **reconnus** sur le plan national.*
(= qui ne sont pas reconnus sur le plan national)

_ la construction infinitive après les verbes voir, regarder, entendre, sentir, écouter

*Il n'a pas vu la voiture **arriver.***
(= qui arrivait)

_ l'apposition

*E. T., **vainqueur** des Internationaux d'Italie, ne pourra disputer aucun match de tennis avant deux mois en raison d'une blessure au genou.*
(= E. T., qui est le vainqueur des Internationaux d'Italie...)

_ le groupe prépositionnel (nom 1 + de + nom 2)

*Nous avons un déficit **de** deux millions de francs.*
(= qui s'élève à deux millions de francs)

*Les gens **du** quartier sont très mécontents.*
(= qui habitent dans ce quartier)

*Dans un cours **d'**une heure, on n'a pas le temps de faire grand-chose.*
(= qui dure une heure)

2. *L'inversion du sujet et du verbe.*

Ce procédé, qui consiste à modifier l'ordre sujet-verbe le plus fréquemment employé, caractérise un style d'expression recherché ; mais l'inversion n'est possible que si le sujet n'est pas un pronom personnel et dans les cas de construction suivants :

a. Cas de la mise en valeur par la tournure présentative c'est... que :

*C'est à vous **que pense le directeur** pour effectuer cette mission délicate.*
(= Le directeur pense à vous pour effectuer cette mission délicate.)

b. Cas de la construction relative complément d'objet (avec que, auquel..., lequel..., dont) :

La population doit être avertie des risques **que peut engendrer la construction** *de cette centrale nucléaire.*
(= que la construction de la centrale nucléaire peut engendrer)

Vous me tiendrez au courant de toutes les affaires **dont** *s'occupe cet avocat.*
(= dont cet avocat s'occupe)

---

c. Cas de la construction interrogative indirecte après :

– **ce + pronom relatif complément** (ce que, ce dont, ce à quoi, *etc.*)

Je ne sais pas **ce** *qu'en* **penseront nos partenaires** *!*
(= ce que nos partenaires en penseront)

– **comment, où, quand, combien** (mais jamais après **pourquoi**)

Je ne sais pas du tout **combien** *coûte l'abonnement* *téléphonique.*
(= combien l'abonnement téléphonique coûte)

---

d. Cas du rejet du circonstant en début de phrase :

Dans ce restaurant, *se retrouvent toutes les célébrités du festival de Cannes !*
(= toutes les célébrités... se retrouvent)

---

e. Cas de la mise en valeur d'un adjectif par déplacement en début de phrase :

Ce sont deux très bonnes actrices. **Délicat** *sera le* **choix** *du jury pour décerner le prix d'interprétation !*
(= le choix du jury sera délicat)

---

f. Cas de la présentation d'un exemple introduit par comme :

Nous avons quelques raisons de nous inquiéter, **comme** *le* **prouvent les résultats,** *encore confidentiels, du dernier sondage sur les intentions de vote des Français.*
(= comme les résultats... le prouvent)

---

g. Cas de la construction impersonnelle :

Il est arrivé un accident
(= Un accident est arrivé.)

Dans ce cas, **il** *se produit souvent une rupture des relations diplomatiques entre les deux pays.*
(= une rupture... se produit souvent)

---

h. Cas de la construction infinitive après les verbes voir, regarder, écouter, entendre, sentir :

J'ai **vu partir Pierre.**
(= J'ai vu Pierre partir/qui partait.)

⚠ mais on ne dira pas

J'ai **vu manger Pierre** *de la confiture.*

on dira : *J'ai* **vu Pierre manger** *de la confiture* à cause du *complément d'objet direct* de la confiture.

i. Cas de peut-être, sans doute, encore **(concession),** aussi **(conséquence),** ainsi : **placés en début de phrase dans un style d'expression recherché, ils entraînent l'inversion du sujet et du verbe :**

_ peut-être

Il n'est pas là. **Peut-être** *a-t-il eu un empêchement.*

style courant :
Il n'est pas là, il a **peut-être** *eu un empêchement.*

style familier :
Il n'est pas là, **peut-être qu'***il a eu un empêchement.*

_ sans doute

La facture me paraît très élevée. **Sans doute** *y a-t-il une erreur.*

style courant :
La facture me paraît élevée. Il y a **sans doute** *une erreur.*

style familier :
Cette facture, elle est trop élevée. **Sans doute qu'***il y a une erreur.*

_ encore

Votre dossier est bon. **Encore faut-il qu'***il soit le meilleur pour que vous soyez choisi.*

style courant :
Votre dossier est bon. **Il faut encore qu'***il soit le meilleur.*

style familier :
Votre dossier est bon. **Encore qu'***il doive être le meilleur.*

_ ainsi

Nous avons loué une maison de campagne. **Ainsi** *pourrons-nous passer des week-ends au grand air.*

style courant :
Nous avons loué une maison de campagne. **Ainsi** *nous pourrons passer des week-ends au grand air.*

_ aussi

J'avais peur de vous déranger. **Aussi** *n'ai-je pas téléphoné.*

style courant :
J'avais peur de vous déranger. **Aussi** *je n'ai pas téléphoné.*

3. L'emploi de la construction passive (cf. aussi p. 158) :

– **pour éviter le pronom indéfini** on (= **quelqu'un, les gens, tout le monde**)

> On apprécie ses qualités de cuisinière.
> → Ses qualités de cuisinière **sont appréciées.**

– **lorsqu'on ne veut pas mentionner le sujet actif**

• soit parce qu'il est évident :

> Les auteurs du hold-up **ont été arrêtés.**
> (La police a arrêté les auteurs du hold-up.)

• soit parce qu'on ne veut pas le désigner :

> Votre incompétence a **été remarquée** !

Dans ce cas, on emploie aussi la construction passive impersonnelle :

> **Il a été prouvé** qu'elle n'était pas parfaitement honnête...
> **Il se dit** des choses contradictoires à ce sujet !

Remarque : La construction passive permet de placer en position de sujet, c'est-à-dire en tête de phrase, ce qui est en position d'objet dans la construction active

> On a **atteint** le but.   Le but **a été atteint.**

Il en résulte une mise en valeur de l'élément important lorsque le sujet actif n'est pas considéré comme prioritaire.

4. Le rejet des circonstants en début de phrase :

La mobilité des circonstants (de lieu, temps, cause, but, concession, etc.) est utilisée comme procédé d'écriture permettant :

– **de mettre en valeur l'information dans la phrase :**

> **Depuis deux ans,** les ennuis se multiplient.
>
> Il a précisé, **dans le rapport qu'il vient de remettre à la Commission d'enquête,** que la responsabilité de l'État était engagée.

– **de ne pas commencer la phrase par le groupe** sujet-verbe :

> **S'il est adopté,** ce plan changera profondément les pratiques d'enseignement des langues.

– **d'équilibrer les informations dans la phrase complexe :**

> **Même si vous n'avez pas le baccalauréat,** vous pouvez faire des études universitaires **en vous inscrivant** dans des programmes spéciaux **qui** vous permettront de rattraper en deux ans le niveau des étudiants de licence.

5. *L'apposition :*

Variante du rejet en début de phrase, l'apposition sert à isoler une information liée au nom ; elle permet de faire l'économie :

– d'une construction relative :

> Les touristes, **nombreux à cette époque de l'année,** n'apprécient guère
> les perturbations qu'entraîne la grève sauvage des gardiens de musée.
> (= Les touristes qui sont nombreux...)

– ou d'une circonstancielle :

> **Déçu par sa fille,** il a rompu toute relation avec elle.
> (= Il a rompu toute relation avec sa fille parce qu'il était déçu.)
>
> **Mieux informé,** il n'aurait pas fait cette bêtise.
> (= S'il avait été mieux informé, il n'aurait pas fait cette bêtise.)

6. *L'utilisation de la tournure présentative* c'est... :

Se reporter pages 228 à 231.

index

INDEX

A

à
– introduisant un modificateur du nom
  à + *nom* .... **31** (b)
  à + *inf.* .... **31** (c)
– introduisant la détermination
  spatiale **201** (1a,) **203**
  à...de **202**
– introduisant la détermination temporelle
  .... **205** (1c)
– préposition liée au verbe : cf. *Dictionnaire des verbes* pp. 59 à 82.

accord/désaccord
nuances de l'expression **225**

actuellement .... **210** *(tableau A, cas 5)*

addition **174-178**

adjectifs
– démonstratifs, V. DÉMONSTRATIFS
– possessifs, V. POSSESSIFS
– indéfinis, V. INDÉFINIS
– qualificatifs
  antéposés **27-29**
  postposés **28-29**
  à valeur d'adverbe ou modificateur
  .... **218** (d), **219**

adverbes, V. aussi MODIFICATEURS
– de lieu **204** (2)
– de temps **206** (2)
– de modalisation **226** (2), **231** (6)

afin que/de
relation de but/finalité **192**

allleurs **204** (2)

ainsi
– relation de déduction/conséquence . **188**
– inversion du sujet et du verbe **236** (i)
– marque de la comparaison **196**
– introduit une explication/justification **199**
ainsi que : élément de coordination
.... **174** (b)

aller + inf. **126** (3), **206** (3)

alors
– relation de déduction/conséquence . **187**
– marque temporelle ...... **211** *(tableau B,*
.... cas 5), **212**
alors que : relation d'opposition **182**

annuel(le), annuellement **208** (6)

antériorité
– exprimée par le verbe ..... **124** *(tableau,*
.... *note 3),* **138** (3), **140** (2 c)
– marques de l'antériorité .... **213** (b), **214**

apposition **199, 234, 238** (5)

appréciation
nuances de l'expression **222-227**

après
– introduisant la détermination spatiale **202**
– introduisant la détermination temporelle .... **205** (c), **211** *(tableau B)*
– marque de la postériorité **210** *(tableau A,*
.... *cas 5),* **214** (c)
d'après .... **211** *(tableau B, cas 5)*
après que :
cf. avant que .... **146** (c, *remarque*)

après-demain .... **210** *(tableau A)*

à l'arrivée de .... **204** (b)

articles **12-19**
– formes **12**
– valeurs **13-14**
– articles définis **13** (1, 2)
– articles partitifs ... **13** (2c), **16** (3), **102** (1)
– articles indéfinis **14** (3), **102** (2)
– cas particuliers d'utilisation ou de suppression de l'article **14-19**
– emploi de l'article
  après la négation **15-16** (2)
  après un quantitatif **16**
  devant un adjectif qualificatif **16**
  dans le cas : nom 1 + de + nom 2
  .... **13** (2b), **17** (5a)
  dans le cas : nom 1 + à/sans/en
  + nom 2 .... **17** (5 b)), **18, 31**
  dans le cas : verbe + préposition + nom
  .... **18** (6)
  dans la détermination temporelle
  .... **205** (1a,b)

assez .... **104** (b), **107, 108**

en attendant que .... **146** (c)

aucun(e)
– adjectif indéfini **24, 97**
– pronom indéfini ...... **40, 99** (1, *note 1*)

aujourd'hui .... **210** *(tableau A)*

auparavant .... **213** (b)

auprès de .... **204** (b)

auquel
– pronom interrogatif **42**
– pronom relatif .... **47-50** *(tableau)*

aussi
– renforcement de l'affirmation **95** (3)
– mise en valeur de l'information .. **175** (2)
– présentation de plusieurs informations
  .... **178** (4)
– quantitatif/comparatif .... **113** (a)
– relation de déduction/conséquence . **188**
– inversion du sujet et du verbe ... **236** (i)
aussi bien que : marque de la comparaison
.... **197**

aussitôt (que)
cf. *immédiatement* **213**

Imprimerie France Quercy - Mercuès
N° d'éditeur : 10139967 - Janvier 2007
N° d'imprimeur : 63383 FF

Imprimé en France (Printed in France)